신을 나타내는
숫자를 찾아라

쌍둥이 섬 에서 탈출

① 소년의 책

배는 새벽녘의 포근한 바람을 등지고 푸른 바다를 북상했다.

동쪽 수평선이 붉게 물들고 오렌지색 구름이 하늘에 걸쳐있다.

소년 한 명이 갑판으로 나와 바다 너머 먼 곳을 바라보고 있다.

태양빛이 뺨을 물들이고 부드러운 머리카락 사이로 바람이 빠져나간다.

'그때도… 이런 배에 타고 있었지.'

소년은 가느다란 손가락으로 선체를 쓰다듬으며 무언가를 떠올리는 듯했다.

"배 여행은 쾌적한가? 카이!"

파이프 담배를 입에 문 백발의 남자가 소년에게 물었다.

"이 주변은 파도가 항상 잔잔하지. 근처에 있는 섬의 수호신이 지켜주시는

해역이거든. 이대로라면 점심쯤에는 너의 고향에 도착할 거야."

"선장님, 일부러 항구에 들러 주셔서 고맙습니다."

"무슨 말이야. 지나가는 길…."

난데없이 불어온 돌풍에 선장의 목소리가 잦아들고

소년이 손에 쥐고 있던 모자가 날아가 버렸다.

곧장 뒤돌아 모자를 주워 올렸을 때, 카이는 이상한 낌새를 알아챘다.

북동쪽 하늘이 심상치 않다.

시커먼 구름이 내려앉고 거대한 회오리가 솟구쳐 오르고 있었다.

선장은 입에 문 파이프 담배를 떨어뜨렸다.

"뭐… 뭐야? 저게."

갑자기 돛대가 크게 펄럭이더니 선체가 요란스럽게 요동쳤다.

배는 삐걱삐걱 소리를 내며 빠른 속도로 전진했다.

회오리에 빨려 들고 있는 것이었다.

"키를 꺾어! 최대한 꺾어! 피해야 돼!"

"하고 있다고요! 키가 말을 듣지 않아요!"

배는 점점 빠른 속도로 움직이더니,

순식간에 거센 폭풍이 불어 닥치는 회오리 속으로 들어가고 있었다.

카이는 발끝에 힘을 주고 배 모서리에 매달려 있었다.

선장은 눈앞으로 다가온 거대한 회오리를 올려보았다.

"이 회오리는…. 감당할 수 없겠어."

그 순간 배는 회오리 속으로 집어 삼켜져 산산조각 나버렸다.

공중으로 몸이 띄워진 카이는 그대로 의식을 잃었다.

규칙 설명

쌍둥이 섬에 오신 것을 환영합니다! 이 섬에 얽힌 모든 의문을 풀기 위해서는 몇 가지 규칙이 있습니다. 게임을 시작하기 전에 꼼꼼히 읽어보기 바랍니다.

게임북에 대해서

플레이어는 각각 다른 두 권의 책에 있는 주인공의 이야기를 동시에 진행합니다.

게임북이란 본문에 있는 선택지를 골라가면서 이야기를 읽고 게임을 즐기는 책을 말합니다.

이 게임북은 두 권이 한 세트이며 『소년의 책』(이 책)에서는 소년 카이가 주인공이고, 또 다른 한 권『소녀의 책』에서는 소녀 네네가 주인공입니다. 어느 책을 먼저 진행하든 상관이 없지만, 한 권만으로는 클리어할 수 없습니다. 한쪽 책에서 막히게 되면 다른 한쪽을 진행해 보세요.

게임에 필요한 것

준비물

필기도구
내용을 적기 위한 도구. 연필처럼 지울 수 있는 필기도구가 있으면 더욱 좋습니다.

계산기
간단한 숫자 계산을 해야 합니다. 미리 준비해두면 편리합니다.

메모지
퍼즐을 풀거나 정보를 정리하기 위해서, 책과 어드벤처 시트와 별도로 메모지를 준비하면 좋습니다.

단락 진행법

우선 『소년의 책』 가장 첫 단락 1번 또는, 『소녀의 책』 가장 첫 단락 251번부터 게임을 시작합니다.

번호가 매겨진 "단락"의 문장을 읽은 후에 선택지를 고르고 지정된 번호의 단락으로 이동합니다. 이런 방법을 반복하면서 이야기를 진행해 주세요.

예 오른쪽으로 간다 → 50으로 …… 50번 단락으로 이동한다.

『소년의 책』은 1~250번 단락, 『소녀의 책』은 251~500번 단락으로 구성되어 있습니다.

또한, 각 단락에 적혀 있는 ↩ 마크 뒤의 숫자는 직전에 읽은 단락의 번호입니다. 이전 단락으로 돌아가고 싶을 때 참고해 주세요.

예 ↩ 120 …… 직전 단락은 120번 (다시 돌아갈 때 이용)

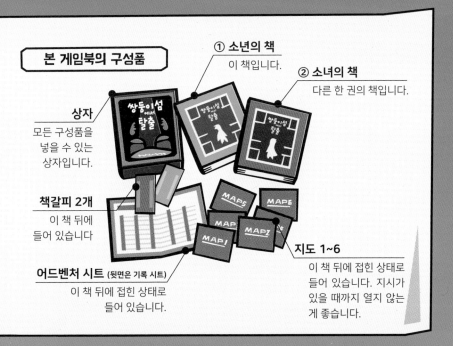

본 게임북의 구성품

① 소년의 책
이 책입니다.

② 소녀의 책
다른 한 권의 책입니다.

상자
모든 구성품을
넣을 수 있는
상자입니다.

책갈피 2개
이 책 뒤에
들어 있습니다

어드벤처 시트 (뒷면은 기록 시트)
이 책 뒤에 접힌 상태로
들어 있습니다.

지도 1~6
이 책 뒤에 접힌 상태로
들어 있습니다. 지시가
있을 때까지 열지 않는
게 좋습니다.

지도 사용법

지도에 적은 숫자와 단락 번호는 서로 같습니다.

단락 끝에 【MAP ○을 펼친다】라는 지시가 있으면 그 번호에 해당하는 지도를 펼쳐 주세요.

지도 위의 각 장소에는 두 개의 빈칸이 있습니다.

위쪽의 초록색 빈칸은 『소년의 책』, 아래쪽 빨간색 빈칸은 『소녀의 책』에서 사용합니다.

게임을 진행하다 보면 빈칸에 숫자를 적으라는 지시가 있으니 그 때의 지시에 따라 주세요.

초록색 빈칸과 빨간색 빈칸에 적은 숫자는 각각 『소년의 책』과 『소녀의 책』에 있는 단락 번호와 같습니다. 원하는 장소에 가고 싶을 때는 빈칸에 적은 숫자에 해당하는 단락으로 이동하면 됩니다.

예1 『소년의 책』에서 【MAP 1의 '오사의 집'에 200이라고 기입】이라는 지시가 나오면

…… '오사의 집'의 녹색 칸(위)에 200 이라고 기입한다.

→ 소년이 '오사의 집'에 가려면 200번 단락으로 이동한다.

예2 『소녀의 책』에서 【MAP 1의 '오사의 집'에 400이라고 기입】이라는 지시가 나오면

…… '오사의 집'의 빨간색 칸(아래)에 400 이라고 기입한다.

→ 소녀가 '오사의 집'에 가려면 400번 단락으로 이동한다.

시트 사용법

단락에 어드벤처 시트나 기록 시트에 기입하라는 지시가 있으면 정확하게 적어 주세요.

이야기를 진행하는 사이에 "단서", "지시 번호", "소년(소녀)의 기록"을 기입하라는 지시가 나타납니다. '단서', '지시 번호'는 구성품으로 제공된 어드벤처 시트에, '소년(소녀)의 기록'은 뒷면의 기록 시트에 기입해 주세요.

단서 사용법

단서를 손에 넣으면 진행할 수 있는 단락이 늘어납니다.

어드벤처 시트에 단서가 적혀 있는 상태가 "단서가 있는" 상태입니다. 단락 끝의 선택지에 '단서 〇가 있는 경우'라고 적혀 있으면 그에 해당하는 지시 번호를 그 단락 번호와 더한 숫자에 해당하는 단락으로 이동할 수 있습니다.

어드벤처 시트(표)

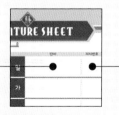

단서
모험에 필요한 정보와 아이템을 적는다.

지시 번호
단서를 사용해서 이야기를 풀어나갈 때 사용하는 숫자를 적는다.

기록 시트(표)

소년의 기록란
『소년의 책』에서 기억해야 할 정보 등을 적는다.

소녀의 기록란
『소녀의 책』에서 기억해야 할 정보 등을 적는다.

> **예** 단서 **일** 이 있는 경우 → 50 + 지시 번호 **일**
>
> … 지시 번호 **일** = 20 이라고 가정하면, 50 + 20 = 70번 단락으로 이동한다.

단서가 없어서 다음으로 진행할 수 없을 때는 그 단락의 번호를 메모해 두고, 다른 장소를 탐색하여 단서를 찾은 뒤에 해당 단락으로 돌아오면 편리합니다.

퍼즐·수수께끼에 대해서

해답은 이 책에 수록되어 있지 않습니다.

본 게임북에서는 퍼즐이나 수수께끼를 풀지 못하면 다음으로 지나갈 수 없는 곳이 있습니다. 난이도가 높은 수수께끼도 있으므로, 구석구석 탐색하여 두뇌를 최대한 사용해야 합니다. 퍼즐이나 수수께끼의 해답은 이 책에 수록되어 있지 않습니다. 이 점에 유의해 주세요.

게임을 클리어하는 방법

마지막 장소에 도착했다면 특설 Website에 접속!

두 권의 책을 모두 읽고 마지막 장소에 도착했다면 특설 Website에 접속해 주세요. 그곳에서 관문을 통과하면 엔딩 스토리를 읽을 수 있습니다.

www.icoxpublish.com/dgamebook/02

주의

- 스포일러는 타인의 즐거움을 빼앗기 때문에 절대로 해서는 안 되는 행위입니다.
- 스포일러 및 공략법에 대해서 인터넷 상에 올리지 말아 주세요.
- 출판사에서는 퍼즐 및 수수께끼의 해답과 공략법에 대한 질문에는 답변하지 않습니다.

쌍둥이 섬에서 탈출

① 소년의 책

👉 두 권의 책 중 어느 책을 먼저 진행하든 상관이 없습니다.
단, 이 책 앞에 있는 규칙 설명을 정독한 다음 게임을 시작해 주세요.

👉 이야기 진행이 막히게 되면 『소녀의 책』을 진행해 보세요.

카이는 눈을 떴다. 하지만 다리에 힘이 들어가지 않아 조금씩 윤곽이 또렷해지는 낯선 풍경을 그저 멍하니 쳐다볼 뿐이었다.

'여기는…, 어디지?'

축축한 모래가 뺨을 타고 흘러내렸다. 어둑히 내려앉은 구름. 차갑게 휘몰아치는 바람. 바위에 부서지는 파도 소리. 멀리서 들려오는 천둥.

'나는…, 배 위에 있었는데….'

무릎과 등 쪽의 통증을 참으며 일어섰다. 몸에 메고 있던 가방은 온데간데없다. 주머니를 뒤져봐도 약간의 돈이 들어 있을 뿐이었다.

'쉬어 갈만한 곳이 있을까?'

추위와 두통이 느껴지기 시작했다. 주변을 둘러보자 가까운 곳에 오두막이 있다. 조금 먼 곳에는 탑처럼 생긴 건축물도 보인다. 카이는 오두막을 향해 걷기 시작했다.

➡ 오두막으로 향한다. → 80으로

☞ 다음은 80번 단락으로 이동합니다. 만약 선택지가 여러 개 있을 때는 다음으로 하고 싶은 행동을 선택한 다음 해당 단락으로 이동합니다.

성당 아래의 산길을 내려가면서 카이는 두목에게 물었다.

"왜 약을 훔치는 걸 도와주신 거죠?"

"딱히 이유 같은 건 없어. 그냥 그게 좋겠다고 생각했을 뿐이지. 네가 차고 있는 그 빨간 팔찌를 봤거든…."

두목은 두건을 벗고 왼손으로 머리카락을 쓸어 올렸다. 기괴한 모양의 반지가 태양빛에 반사되어 불쾌한 빛을 뿜어냈다. 반지가 웃고 있는 듯한 기분이 들어 카이의 시선이 잠시 멈추었다.

"너는 성당에서 죽었다고 해 둘 테니까 이쯤에서 헤어지는 게 좋겠어."

두목은 카이를 흘깃 보고는 산길을 벗어나 숲속으로 사라졌다.

【단서 **우** 에 '특효약', 지시 번호 **우** 에 59라고 기입】

3 ↪ 205

카이는 삼나무 기둥에 새겨진 수식을 발견했다.

> ⌐ ♩ ／ = 5

'여기는…, 누군가와 함께 걸었던 적이 있는 것 같아.'

【소년의 기록란 24c에 '⌐ ♩ ／ = 5'라고 기입】

4 ↪ 135

얼마 지나지 않아 불쾌한 듯한 표정을 지은 남자가 문을 열었다. 남자는 열린 문틈으로 카이를 뚫어지게 훑어보고는 나지막한 목소리로 말했다.

"무슨 일이지?"

"저…, 사막의 동굴에 대해 알려주실 수 있나요?"

"바빠. 나중에 다시 오도록 해."

남자는 상대할 마음이 없다는 듯 문을 닫아버렸다.

5

카이는 서쌍둥이 섬의 남쪽 끝에 자리잡은 인도의 사당으로 왔다. 파도는 해안가 바위에서 부서지고, 천둥인지 땅울림인지 모를 소리에 몸이 떨렸다. 높이 솟구쳐 오른 물보라가 카이의 뺨을 적셨다. 거친 바다 너머, 안개 속에서 섬처럼 보이는 윤곽이 드러났다. 유배섬이라 하여 죄인을 가두어 두는 섬이라고 들었다.

➡ 단서 **히**가 있는 경우

→ 5 + 지시 번호 **히**

6 ⮐ 250

카이와 네네는 삼나무에 등을 기대고 잠이 들었다. 네네가 눈을 떴을 때, 카이는 잠들어 있었기 때문에 네네는 조금 더 잠을 청하기로 했다. 카이가 눈을 떴을 때도 네네는 잠들어 있었기 때문에 카이는 조금 더 잠을 청하기로 했다. 두 사람은 언제까지나 잠들어 있었다.

7 ⮐ 132

방 한가운데에 종이 걸려 있고 빛바랜 황금빛 놋쇠에는 군데군데 푸른 녹이 슬어 있다. 어쩐지 이것이 안식의 종인 듯 보였다.

천장이 높아서 직접 종을 만질 수는 없다. 옆으로 늘어뜨려진 밧줄을 당기면 추가 움직여서 종이 울리는 구조인 것 같았다.

종 바로 아래에는 작은 테이블이 놓여있고 사각형의 납이 몇 개 굴러다닌다. 교체용 저울추인 듯 보였다.

➡ 밧줄을 당긴다. → 13으로
➡ 테이블을 조사한다. → 41로

8 ⮐ 39

카이는 오른쪽 감옥방에도 정보가 있을지도 모른다는 생각에 편지를 거머쥔 왼손을 오른쪽 벽으로 내밀었다.

'이쪽 감옥방에도 죄수가 있으면 좋겠는데….'

【단서 **처**에 '왼손', 지시 번호 **처**에 35라고 기입】

➡ 단서 **초**가 있는 경우
  → 8 + 지시 번호 **초**
➡ 단서 **초**가 없는 경우 → 182로

9 ↪ 165

낡은 오두막 안에서는 흰 가운을 입은 남자가 실험대 앞에 서서 작업을 하고 있었다. 남자는 인기척을 느끼고 카이 쪽으로 돌아보았다.

그 얼굴. 안경을 낀 얼굴.

카이는 충동적으로 흰 가운을 입은 남자에게 덤벼들려는 자신을 발견했다. 카이가 어릴 적, 같은 배를 타고 있었던 안경 낀 남자였다.

➡ 박사와 이야기한다. → 230으로
➡ 단서 푸가 있는 경우 → 9 + 지시 번호 푸

10

연무가 깔린 마을 연못을 찾은 새들이 날개를 펼쳐 깃을 고르고 있다. 장로의 집은 그 연못 둔치에 있었다.

➡ 장로의 집에 들어간다. → 94로

11 ↪ 60

궁전의 뒤편에는 수풀이 더욱 우거져 있었고, 카이는 나뭇가지 사이를 헤치며 깊숙이 들어갔다. 그러자 몸에 휘감기 듯 자라난 덩굴 건너편에 튼튼해 보이는 철문이 보였다.

어쩐지 이 문에는 열쇠가 잠겨있는 듯 했다.

➡ 단서 마가 있는 경우 → 11 + 지시 번호 마
➡ 단서 쿄가 있는 경우 → 11 + 지시 번호 쿄

12 ↪ 139

"죽이든 살리든 마음대로 해…."

카이는 체념했다. 교황은 냉철한 표정으로 웃었다.

"신은 관대하고 상냥한 존재이지. 데려가도록 해."

카이는 교황에게 붙잡혀 감옥 요새에 있는 감옥방에 갇혔다.

➡ 17로

카이는 밧줄을 당겼다. 하지만 아무런 반응이 없고, 종도 울리지 않았다. 다시 한 번 강하게 밧줄을 당겨 보아도 역시 종은 울리지 않았다. 어쩐지 틀린 추가 달려 있는 듯 했다.

'그렇지! 할아버지에게 빌린 천칭을 써보자!'

➡ 수수께끼를 풀어서 나타나는 숫자에 해당하는 단락으로

 → 다음 단락

14 ↪ 119

카이는 몸을 던질 각오로 교황에게 돌진했다. 하지만 냉철한 교황은 카이의 공격을 피하고는 눈으로 쫓을 수 없을 만큼 날렵하게 검을 휘둘렀다. 검은 정확하게 카이의 심장을 관통했다.

GAME OVER

15

낮인데도 어둑한 길을 빠져나오니 해안가 절벽에 바짝 붙어서 암시장이 들어서 있다.

눈빛이 날카로운 가게 주인이 오가는 사람들을 흘깃흘깃 쳐다보고 있다. 돈을 가진 사람인지 어떤지 꿰뚫어 보고 있는 것이었다.

➡ 가게 주인에게 주변에 대해서 물어본다. → 59로
➡ 단서 **조**가 있는 경우 → 15 + 지시 번호 **조**

16 ↪ 33

카이는 어둠 속을 더듬으며 나아갔다. 차가운 공기가 카이의 뺨을 스치고 지나갔다.

'신중하게 가면 동굴 가장 깊은 곳까지 도착할 수 있을 거야.'

카이는 그렇게 생각했지만, 다음 발걸음을 옮긴 왼발은 지면에 닿을 수 없었다. 균형을 잃은 카이는 그대로 어두운 낭떠러지 속으로 빨려 들어가듯 떨어졌다.

GAME OVER

17 ↪ 12

카이는 감옥 요새의 2층에 있는 감옥방에 갇혔다. 손발은 자유롭지만 저주의 반지 이외의 짐은 모두 빼앗겨 버렸다.

'어떻게 해서든 여기서 빠져나가야 해. 벽을 뚫는 저주를 쓸 수 있을지도 모르겠어.'

➡ 39로

카이는 호랑이에게서 눈을 떼지 않은 채, 발밑에 있는 돌을 주웠다.

하지만 사나운 야성을 지닌 호랑이가 사냥감이 엉거주춤해진 순간을 놓칠 리 없었다. 거대한 체구가 공중에 떠오르더니 타액에 젖은 예리한 송곳니가 카이의 왼쪽 어깨를 바스러뜨렸다. 카이는 비명을 질렀지만, 그 소리는 목구멍을 물어뜯은 송곳니로 인해 이내 멎었다.

GAME OVER

➡ 오른쪽 그림을 참고해서 탐색하라.

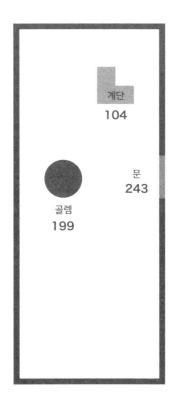

20

잿빛 급경사의 골짜기 아래는 울퉁불퉁한 바위투성이였다. 카이는 절벽을 올려 보았다. 절벽 위는 깊은 수풀이 우거져 있고 어두운 숲 안에서는 요괴라도 튀어나올 듯 <u>으스스한 분위기가</u> 느껴졌다.

➡ 단서 **천**이 있는 경우
  → 20 + 지시 번호 **천**

21 ↪ 76

카이는 구름다리 위에서 샘을 바라보았다. 바닥까지 비칠 듯한 청록색 물과 차갑고 상쾌한 공기가 기분 좋다.

찬찬히 들여다보니 샘물 바닥에 작은 물건이 반짝이고 있었다. 물결은 거세지 않지만 수면이 찰랑찰랑 천천히 일고 있어 그것이 무엇인지는 확인할 수 없었다.

22 ↪ 90

휴식 중인 광부는 광산에 관해서 이야기해주었다.

"이 광산은 말이야, 철이나 동 말고도 희귀한 것이 많이 나오거든. 5년 정도 전에는 저주받은 반지가 나온 적도 있었지. 그런 건 장로님께 보고하게끔 되어 있거든. 그런데 그 반지는 금방 도둑맞고 말았어."

"훔친 사람은 붙잡았나요?"

"아니. 훔친 건 로즈레이 기사단인지 뭔지 하는 기사였는데, 반지를 누군가에게 건네준 다음에 병으로 죽고 말았지."

'병으로 죽은 기사….'

"원래 마을에서는 다루기 곤란해 했으니까 다행이지 뭐! 하하핫."

"혹시 그 반지, 어떤 거였는지 기억하시나요?"

"그럼, 기억하고 있지. 내가 말이야, 그림을 꽤 잘 그리거든. 어디 보자. 그려주지."

광부는 기묘한 모양의 반지 그림을 그려서 보여주었다.

"어디선가 본 적 있는 것 같은데…."

【단서 **저**에 "발굴된 반지", 지시 번호 **저**에 32라고 기입】

23 ➦ 220

선명한 마룻바닥 무늬의 방 중간에 허리 정도 높이의 석대가 있다. 석대 위에는 네 마리의 짐승 조각이 새겨진 작은 상자가 놓여 있었다. 카이는 상자를 열어보려 했지만, 뚜껑은 단단히 닫혀 있다.

'2층으로 가는 계단은 어디에 있지?'

곤란한 모습으로 방안을 둘러보다가 문득 어떤 사실을 깨달았다.

'이 방 바닥에 새겨진 모양, 어딘가에서…, 맞아! 그 할아버지의 오두막 바닥과 같은 모양이야! 그 할아버지라면 이 탑에 대해 뭔가 알고 있을지도 모르겠어.'

【단서 **일**에 '바닥 모양', 지시 번호 **일**에 73이라고 기입】

24 ➦ 243

침대는 반듯하게 정돈되어 있고, 청결한 흰색 시트에는 단 하나의 주름도 없다. 사이즈는 인간의 것과는 비교가 되지 않을 만큼 크다.

'생각보다 꼼꼼한 마물이로군.'

카이는 침대 아래에 떨어져 있는 작은 종잇조각을 발견했다. 종잇조각에는 다음과 같이 적혀 있었다.

ㄷㄷㅊㅇ / ㄹㄹㄹㄹ

【소년의 기록란 10b에 'ㄷㄷㅊㅇ / ㄹㄹㄹㄹ'이라고 기입】

25

교역장은 한산하여 가게를 열어 둔 곳은 손에 꼽을 수 있을 정도였다. 구석에는 허술해 보이는 오두막 술집이 있다. 카이는 술집에서 정보를 모으기로 했다.

술집 안은 어둑어둑하였고, 손님이라고는 카운터에서 술을 마시고 있는 중년 여성과 구석진 테이블에 앉아 있는 젊은 남성 두 명뿐이다.

➡ 카운터에서 마시고 있는 여성에게 말을 건다. → 113으로

➡ 테이블에서 마시고 있는 남성에게 말을 건다. → 191로

➡ 단서 **거**가 있는 경우 → 25 + 지시 번호 **거**

26 ↪ 58

카이는 엘리베이터에 올라탔다. 하지만 1층의 버튼이 반응하지 않아, 어쩔 수 없이 3층으로 올라갔다.

3층은 죄인 결투 시합의 선수 대기실인 듯했다. 낯빛이 어둡고 온몸이 검은 남성이 긴 의자에 앉아 있고, 결투에서 져 상처를 입은 남자는 의무실에서 치료를 받고 있다. 옥상 결투장으로 가는 계단은 보초병이 지키고 있다.

➡ 낯빛이 어두운 남성에게 말을 건다. → 57로

➡ 상처를 입은 사람에게 말을 건다. → 152로

➡ 보초병에게 말을 건다. → 107로

27 ↪ 20

바위에 가까이 다가서자 질척한 진흙 위에 두 종류의 발자국이 남아 있었다. 하나는 카이보다 크고 꽤 튼튼할 것 같은 구두였다. 다른 하나는 카이보다 작아서 아이이거나 여성의 발자국인 듯했다. 바로 근처에 있는 바위틈 사이에 천처럼 보이는 것이 끼어 있는 것을 발견했다. 카이는 손을 뻗어서 그 천을 잡았다. 그것은 양가죽에 그려진 주변 지도로, 마을의 장소들도 표시되어 있었다.

【MAP 2를 펼친다.】

☞ 앞으로도 지시가 있을 때마다 그 번호에 해당하는 지도를 펼치고 지금까지 사용한 지도와 연결해 주세요.

【MAP 2의 '곶의 마을'에 40, '촌장의 집'에 130, '교회'에 195, '교역장'에 25라고 기입】

28 ↪ 15

카이는 저주의 반지를 암시장 가게 주인에게 보여주었다.

"어우. 이건 저주의 반지다. 이런 건 살 수 없지. 헛헛헛."

29 ↪ 168

카이는 겁을 먹고는 그 자리에서 도망쳤다. 두목이 카이의 도망을 눈치챈 순간, 교황의 칼은 두목의 몸을 관통했다.

교황은 재빨리 자세를 바꾸고는 계단을 오르는 카이의 등을 일도양단으로 갈랐다.

"신의 나라가 가까워졌구나…. 하하하하하."

GAME OVER

30

호수 둔치의 낚시터에서는 한 노인이 수면에 실을 늘어뜨리고 옆에는 손자로 보이는 어린아이가 콧노래를 부르며 돌을 걷어차고 있다.

카이가 가까이 가자 노인은 흐트러짐 없이 말하기 시작했다.

"이렇게 수면을 가만히 보고 있으면 말이지…, 시간의 흐름을 느낄 수 있단다."

카이는 갑자기 노인이 말을 걸자 어리둥절해졌다.

"가끔은 말이다, 자신을 찬찬히 되돌아보는 것도 좋은 일이지. 자네의 가장 오래된 기억은 뭔가?"

➡ 생각해 본다. → 174로
➡ 아이와 이야기한다. → 217로
➡ 단서 **디**가 있는 경우 → 30 + 지시 번호 **디**

31 ↪ 188

생명수를 손에 넣은 카이는 커다란 구덩이를 한 번 더 뛰어넘어 입구로 돌아왔다. 그때, 촛대 아래에서 잃어버렸다고 생각한 가방을 발견했다.

'어라? 여기에 떨어뜨렸었구나.'

카이는 약간 이상하게 생각했지만, 주운 가방 속을 확인하지도 않고 동굴을 나섰다.

'이제 검문소를 통과해서 북쪽으로 갈 수 있어. 곶의 마을 촌장님께 인사만 드리고 갈까?'

【단서 **다**에 '생명수', 지시 번호 **다**에 18이라고 기입】

32 ↱ 250

네네는 카이의 손을 끌어당겨 언덕 정상으로 올랐다. 두 사람은 마을을 내려다보았다.

"마을 밖으로 가보고 싶어."

"몰래 밖으로 나가보자!"

【소년의 기록란 29에 '마을 밖으로 간다'라고 기입】

33 ↱ 150

카이는 바위 사이로 신중하게 내려가 동굴로 들어갔다. 동굴 안은 어둡고 앞이 보이지 않아 위험했다.

'이대로 가는 건 위험하겠는 걸.'

➡ 그대로 간다. → 16으로
➡ 단서 **고**가 있는 경우 → 33 + 지시 번호 **고**

34 ↱ 227

카이는 도끼를 피하고는 팔찌를 찬 왼손으로 마물의 옆구리를 있는 힘껏 내려쳤다. 마물은 눈알이 굴러 나올 만큼 눈을 희번덕이고는 목소리도 내지 못한 채 뒹굴었다. 그래도 도끼를 놓지 않은 마물에게 카이는 회심의 일격을 가했다.

하지만 마물은 어떻게든 몸을 젖혀서 공격을 피하고는 상체를 일으키며 날카로운 뿔로 카이의 가슴을 향해 돌진했다.

GAME OVER

카이는 변방의 마을에 있는 예언가, 오사의 집을 찾아갔다.

"이 반지의 저주를 정화하고 싶어요."

카이는 오사에게 저주의 반지를 내밀었다. 오사는 반지를 만져보고는 뭔가 중얼중얼 읊기 시작했다.

"음…, 이건 악령의 힘이 너무 강해서 인간의 힘으로는 주술을 풀 수 없다."

"그런…."

"오아시스의 동굴을 알고 있는가? 샘의 정령이라면 어떤 저주든 정화할 수 있다고 하지만…."

텃밭에서 나온 청년에게 기사 시몬이 관사에 있는지를 물어보았다.

"시몬 소대장은 아직 마물 퇴치 작전에서 돌아오지 않았어요. 마물은 무사히 퇴치해서 감옥 요새에 가두어 두었다는 보고는 있었지만요. 그나저나 시몬 소대장만 있으면…."

"무슨 일이 있나요?"

"아. 서쪽 산에 숨어 있는 산적들이 성당을 습격하려고 하는 것 같아요. 시몬 소대장만 있으면 그런 패거리는 금세 쫓아낼 텐데 말이에요."

"하지만, 시몬 씨도 곧 돌아오지 않을까요?"

"아쉽게도 소대장은 방향치예요. 언제 돌아올지 모른다고요."

"산적 무리와 합류하면 성당에 숨어들 수 있겠는 걸…."

"네? 뭐라구요? 무슨 말인가요?"

"아, 아뇨, 아무것도 아닙니다! 시몬 씨가 빨리 돌아오면 좋겠네요!"

【단서 **샤**에 '산적의 반란', 지시 번호 **샤**에 41이라고 기입】

【소년의 기록란 13에 '산적 무리에 합류하면 성당에 숨어들 수 있다'라고 기입】

37 ↪ 223

축축한 벽…, 질척한 땅…. 여긴 어디지? 동굴인가…?

아파…, 넘어졌구나.

손이…, 누군가 손을 뻗었어.

"괜찮아?"

"중요한 것을 잃어버렸어."

"하지만 서둘러야 해. 가자."

너는 누구?

【소년의 기록란 22에 '동굴을 지나다', 23에 '중요한 것'이라고 기입】

【단서 **호**에 '목걸이, 오빠', 지시 번호 **호**에 9라고 기입】

38 ↪ 50

"쌍둥이 섬에서 나가고 싶은데 배가 뜨지 않나요?"

"이런 풍랑에 배를 띄울 수 있을 리 없잖아. 휴고의 배라도 가라앉아 버릴 거라고."

"휴고…?"

"그래, 그 사람은 요전까지 이 어촌에 있었는데, 병에 걸리는 바람에 서쪽 마을로 돌아가 버렸어."

39 ↪ 17

자신의 감옥방을 천천히 살펴보다가 탁자 밑에서 종이 한 장을 발견했다. 종이에 그려진 표는 세로로 9칸, 가로로 9칸이 그려져 있다.

"세로로 9에다 가로로 9…, 감옥 철창과 똑같아. 어쩌면 나갈 수 있을지도 모르겠어!"

➡ 주운 종이를 본다. → 187로

➡ 오른쪽 그림을 참고해서 탐색하라.

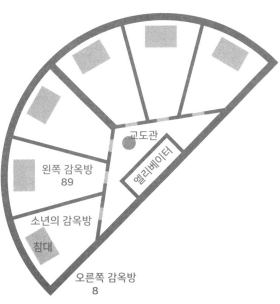

교도관

엘리베이터

왼쪽 감옥방
89

소년의 감옥방

침대

오른쪽 감옥방
8

바닷바람이 불어오는 곳의 마을은 떠돌이 상인들의 활동으로 번성했다. 사람의 왕래는 적지만, 길에서 만나는 사람은 모두 지역 특산품이나 공예품을 가득 담은 보자기를 짊어지고 있다.

강풍이 불어 닥친 탓에 떠돌이 상인은 다리를 휘청거렸다. 연안에서 불던 돌풍은 점점 섬 쪽으로 접근하고 있는 듯 했다.

'저게 섬으로 온다면 이겨낼 재간이 없어. 그나저나 왜 기후가 온화한 쌍둥이 섬에 저런 돌풍이 부는 거지? 숲에 사는 짐승들이 난폭해진 것도 뭔가 관계가 있을까…?'

카이는 먹구름이 깔린 하늘 아래, 마을 광장에서 남서쪽으로 뻗은 길 위를 걸어갔다. 오른쪽 후미에는 작은 배가 늘어서 있고 청년 한 명이 배를 손보고 있다.

➡ 떠돌이 상인에게 말을 건다. → 106으로
➡ 선착장에 있는 청년에게 말을 건다. → 194로
➡ 단서 **티**가 있는 경우 → 40 + 지시 번호 **티**

테이블 위에는 사각형 모양의 납으로 된 저울추들이 널브러져 있다. 서랍에는 종잇조각이 한 장 들어 있다. 해시계의 설명서인 것 같다.

**해시계는 이 그림처럼
비스듬하게 읽어 주세요.**

【소년의 기록란 4에 '해시계, 4행 3열부터 2행 1열로 비스듬하게 읽는다'라고 기입】

42 ↩ 231

지하수로의 출구가 열리자 소녀가 기다리고 있었다. 두 사람은 얼굴을 마주 보았다.

"네가…."

"너였구나…!"

"오랜만이다."

"응."

"우리 힘으로 이 마을에 숨겨져 있는 신의 비밀을 기억해 내야 해."

"옛날에 마을에서 지내던 때를 기억해 내는 거지?"

"맞아. 너의 이름은…."

➡ 단서 **허**가 있는 경우 → 42 + 지시 번호 **허**

43 ↩ 235

숨겨진 계단을 내려간 끝에는 저장고처럼 보이는 작은 방이 있었다.

방은 어둑어둑하며 제단과 촛대, 그리고 작은 테이블이 놓여 있을 뿐이다.

'여기가 그 교황이 숨겨둔 방이군….'

두 사람은 방안 구석구석을 살펴보았지만 오브는 어디에도 없었다. 두목은 한숨을 내쉬고는 혀를 찼다.

"카이, 네가 찾는 게 바로 이거지?"

그렇게 말한 두목은 작은 병을 하나 건넸다.

"약이다. 이 테이블 안에 있었지. 너, 처음부터 이걸 노리고 있었던 거 아냐?"

카이는 약을 받아 들었다.

"자, 빨리 이곳을 빠져나가지 않으면 또다시 교황이 나타날 거야!"

➡ 성당을 빠져나간다. → 2로

44 ↩ 127

"**제**단과 보석…?"

"보석을 제대로 바치라…. 숫자 세 개의 합은 14…."

【소년의 기록란 8에 '숫자 세 개의 합은 14'라고 기입】

➡ 지하 2층의 지도로 돌아갈 경우 → 76으로

바위산에 갑자기 나타났다는 터널을 빠져 나오자 초원이 펼쳐져 있고 거대한 바위가 우뚝 솟아 있었다.

"어? 카이, 너도 와 있었구나."

집배원인 에르카다. 여러 사람에게서 전해 듣고는 와봤다고 한다.

"뭔가 신비로운 곳이구나, 이런 것을 보면 두근두근한단 말이지."

➡ 단서 **자**가 있는 경우 → 45 + 지시 번호 **자**

여기는…, 우리 집이야….

화창한 날….

마을 밖으로 나가서는 안 돼….

다리를 건너서 북쪽으로 10걸음….

지하수로의 입구….

비밀의 장소….

"역시 여기 있었군."

"마을 밖으로 이 섬 밖으로 나가보고 싶어."

"나도."

전구가 천천히 깜빡이고 있다.

"이거, 줄게."

【소년의 기록란 26에 '화창한 날', 27에 '비밀의 장소'라고 기입】
【단서 **S**에 '북쪽으로 10걸음', 지시 번호 **S**에 87이라고 기입】

오두막에 들어서자 창가의 침대에 노인이 잠들어 있다. 젊은 선원이 곁에서 간호하고 있다.

"저…, 이 마을에 휴고 씨라는 선장님이 있습니까?"

"나에게 무슨 용건인가…?"

노인이 몸을 일으켜 흘겨보는 듯한 눈초리로 카이를 바라보았다. 어쩐지 이 노인이 실력 좋은 선장, 휴고인 모양이다.

"병…, 인가요?"

"후후, 보는 바와 같이."

"할아버지, 누워 계셔야 해요."

젊은 선원이 말했다.

"할아버지는 2주 전부터 갑자기 컨디션이 망가졌어. 어부의 직업병이지. 이전에는 성당에서 특효약을 받을 수 있었는데…, 터무니없는 가격의 예배 허가증을 사지 않으면 기도를 하러 갈 수도 없게 되었지."

"꼬마야…, 배를 타고 싶은가?"

카이는 지금까지의 경위를 설명했다.

"흐음…, 설령 내 병이 낫더라도 저 분통 터지는 풍랑이 휘몰아치는 한, 바다로 나갈 수 없어. 기껏해야 여기서 서쪽 선착장까지 왕복할 뿐이라고."

휴고는 쓴 벌레를 씹어 삼킨 듯한 표정을 하고 창문 밖으로 하늘을 흘겨보았다.

"이번 풍랑은 아주 이상해. 섬의 변화와도 연관되어 있는 게 틀림없지. 바다가 거칠어지고 마물이 부활한 데다 남쪽에서는 조용했던 짐승들이 난폭해지고 있다지? 게다가 약자와 평화를 지키던 기사단도 이상한 행동을 시작했어. 그러고 보니 섬의 변화를 조사하던 남자가 기사단에 붙잡혀서 감옥 요새에 갇혔다고 하더군…."

"감옥 요새?"

'그래, 그 남자의 이야기를 들어보면 변화의 원인을 알 수 있을지도 모르겠어.'

【단서 버에 '성당의 약', 지시 번호 버에 45라고 기입】

【MAP 4의 '벼랑 위의 성당'에 85라고 기입】

【소년의 기록란 12에 '성당의 약을 손에 넣어서 휴고의 병을 고친다', 17에 '섬의 변화를 조사하다 요새에 갇힌 남자에게 이야기를 듣는다'라고 기입】

오른쪽 감옥방에도 누군가 갇혀 있는 것 같았다. 카이가 왼쪽 팔을 빼자 손안
에는 작은 종잇조각이 들어 있었다.

● + ○ + ♥ =

'뭐지…?'

【소년의 기록란 21b에 '●+○+♥='이라고 기입】

카이는 먼지가 앉아 뿌옇게 된 액자를 옷소매로 닦았다. 어딘지 모르게 이상
한 기호가 그려진 사진이었다. (아래 그림 참고)

'아…!'

➡ 수수께끼를 풀어서 나타나는 숫자에 해당하는 단락으로

50

어촌의 술집에서는 거친 선원들이 대낮부터 술잔을 들이켜고 있다. 풍랑으로 인해 배를 띄우지 못하자 남은 에너지를 술을 마시는데 발산하고 있는 것 같았다.

➡ 배를 띄울 수 없는지 물어본다. → 38로
➡ 단서 **디**가 있는 경우 → 50 + 지시 번호 **디**

51 ↩ 25

페텔은 얼굴 한가득 미소를 띠고 카이를 맞이했다.

"카이! 해냈어! 완벽했다고! 약속을 지켜줘서 고마워! 이건 보답이야."

페텔은 카이에게 새 가방을 건넸다. 가방은 카이가 해변에서 잃어버린 것과 비슷한 수제였고 자수 색깔까지 똑같았다.

"이거, 내가 잃어버린 가방하고 비슷한데요….."

"이 가방은 우리 고향의 전통 공예품이야. 자수가 아주 훌륭하지! 나는 가방을 팔러 섬 안을 돌아다니고 있어. 그렇게 이 마을로 오던 중에 만난 거야.

오늘 프러포즈한 류류와 말이지! 그녀가 수풀 언덕에서 머리가 없는 괴물에게 습격당하려던 찰나에 내가 구해 줬어."

"머리가 없는 괴물이요?"

"그래. 배에 머리가 달려 있는 섬뜩한 녀석이었어."

"흐음, 정말이에요? 어라? 페텔, 가방 안에 뭔가 들어있어요."

"그건 가방을 팔 때 항상 같이 주는 덤이야. 떠돌이 상인이 많으니까 그런 것을 좋아하지. 너에게도 줄게."

가방 안에는 작은 피켈과 횃불이 들어 있었다.

"곧, 곳의 마을에서 결혼식을 올릴 거야! 참석하는 사람에게는 류류가 직접 만든 초콜릿을 나눠줄 예정이고. 엄청 맛있어! 카이도 꼭 와야 해!"

【단서 **고**에 '가방과 도구', 지시 번호 **고**에 46이라고 기입】

52 ↩ 250

카이는 다리 아래에서 낚시하고 있었다. 문득 위를 올려보니 네네가 다리 위에서 카이를 내려다보고 있었다.

➡ 북쪽으로 10걸음 걷는다. → 109로

어촌의 수장은 카이를 환영해 주었다.

"이야기는 들었네. 자네가 생명수를 갖고 검문소를 통과했다는 소년이로군."

"왜 검문소를 봉쇄한 건가요?"

"마물의 봉인이 풀리고 말았단다. 신에 의해서 봉인되어 있던 마물이지. 조공을 바치지 않으면 마을을 망가뜨려서 아주 곤란해. 게다가 마물은 마을의 보물인 신성한 도끼까지 훔쳐 버렸어. 우리는 신성한 도끼가 아니면 나무를 베는 것을 허락받지 못한다네. 마물이 부숴버린 서쪽 다리도 복구할 수 없지. 그래서…, 기사단에게 도움을 청했는데 아직 기사님이 도착하지 않았어.

남쪽 마을 사람들이 무턱대고 북쪽으로 떠나서 부활한 마물을 공격하는 건 위험하니까, 기사님이 도착할 때까지는 검문소를 봉쇄한 것이란다. 마을 사람의 언성은 높아지기만 하고 이대로는 폭동이 일어날 것만 같아…."

수장은 진심으로 곤란한 듯했다. 하지만 카이를 보고는 문득 눈을 반짝였다.

"카이 군이라 했지! 자네, 기사님 흉내를 내서 마을 사람을 안심시켜줄 수 있겠나? 잘 보니 이쪽으로 올 기사님과 뒷모습이 비슷한 것도 같구먼!"

➡ **그럴 수는 없다며 거절한다. → 203으로**

➡ **받아들인다. → 239로**

카이는 천막 입구를 들추고는 안으로 들어갔다. 그러자 이내 작은 체구의 수염을 기르고 실크햇을 쓴 남자에게 저지당했다.

"지금은 리허설 중이야. 잠시 기다렸다가 다시 오도록 해."

남자는 그 말만 하고는 허둥지둥 무대 뒤편으로 사라져버렸다.

감옥 요새는 정글 속에 묻힌 듯 세워져 있다. 원통형으로 지어진 벽돌 구조의 요새로, 4층으로 지어졌지만 2층 부분까지는 완전히 정글에 뒤덮여있다. 옥상은 죄수들이 서로 죽이는 외부 결투장으로 사용되고 있으며 천장은 없다.

두껍게 발달한 먹구름이 요새 상공에서 똬리를 틀고 있다. 때때로 태양이 고개를 내밀 때 말고는 쌍둥이 섬은 밤처럼 어두워졌다. 폭풍은 마치 집단 사냥을 하는 짐승들처럼 쌍둥이 섬을 둘러싸고 점점 반경을 좁혀오고 있다.

　카이는 폭풍이 섬을 덮칠 거라는 불안감을 느끼면서도 정글을 헤쳐 감옥 요새에 도착했다.

　무표정한 보초병 두 명이 요새 문을 지키고 있다.

　"죄수와 이야기를 하고 싶은데요…."

　"저주받은 자가 아니면 요새에 들어갈 수 없어."

➡ 단서 **조** 가 있는 경우 → 55 + 지시 번호 **조**

56 ↪ 96

　"**오**. 기사님. 도착하셨군요. 어라? 그건 엔데 님의 갑옷이 아닌지…."

　"그, 그게 이 마을의 수장이 주셔서…."

　"그렇군요. 부적 같은 거네요."

　"저…, 엔데라는 기사는 마물을 쓰러뜨렸다죠?"

　"네, 엔데 님이 쓰러뜨린 마물은 신이 봉인했어요. 하지만 머지않아서 엔데 님은 돌아가셨습니다."

　"마물과 싸운 게 원인인가요?"

　"아니요, 엔데 님은 예전부터 심각한 병을 앓고 있었어요. 사인은 그 병 때문이었습니다."

　"병으로…."

　"엔데 님은 원래 서쪽 마을의 불량배였어요. 기사단에 입단한 후에도 사사로운 물건을 훔치거나 해서 평판이 나쁜 남자였답니다. 그러다가 어느 날 갑자기 회개하고는 마물이 나타났다는 이야기를 듣고 서쪽 마을에서 급히 달려와 궁전으로 간 것이죠."

　"회개한 계기는 무엇이었을까요?"

　"그건 잘 모르겠지만…, 자신의 죽음을 알아챈 게 아니었을까요? 이 마을에 온 엔데 님은 매우 조용한 사람이었어요. 힘이 센 편이 아니었는데도 그 난폭한 마물을 쓰러뜨린 게 신기할 정도지요. 이 예배당 옆으로 난 오솔길을 따라가다 보면 묘지가 있습니다. 엔데 님은 그곳에 잠들어 있어요."

【MAP 3의 '묘지'에 145라고 기입】

57 ⮌ 26

긴 의자에 앉아있던 온몸이 검은 남성은 새파랗게 질린 얼굴로 손끝을 응시하고 있다. 카이는 남성에게 말을 걸었다.

"틀렸어···, 절대로 이길 수 없어. 엄청나게 센 여자 죄수가 있다더군. 자네가 나 대신 출전해줄 수 없을까? 출전 번호는 72번이다."

58 ⮌ 187

좌표 기호에 해당하는 철창을 돌리자 철창이 흔들리기 시작했다.

'철창이 빠지고 있어···! 분명 이전에 이 감옥방에 갇힌 죄수가 만들어 둔 거야···.'

마물이 그 사실을 눈치채고는 교도관의 주의를 끌었다.

"어이어이, 교도관 양반. 담배 한 개비 받을 수 있을까?"

"건방진 마물이로군. 담배 같은 게 있을 리 없잖아. 그리고 너는 아직 6살이잖아."

카이는 나지막한 발걸음으로 감옥을 탈출하자 교도관을 잇달아 따돌리며 있는 힘을 다해 내달렸다. 마물은 철창 너머로 교도관을 붙잡고는 목을 졸라 정신을 잃게 했다. 카이는 교도관에게 감옥 열쇠를 빼앗아 마물이 갇혀 있는 감옥방을 열었다.

"됐어! 대성공이야!"

마물은 기뻐하며 감옥을 탈출했다. 카이는 일단 자신이 갇혀있던 감옥방으로 돌아가 오른쪽 감옥방으로 또다시 왼팔을 통과시키고는 열쇠를 던졌다.

"저기, 카이. 내 감옥방 바닥에는 큰 글씨로 '북'이라 쓰여 있었는데 무슨 뜻일까?"

"방향 아닐까?"

"아아, 그렇군. 어쨌든 이쯤에서 나는 도망갈 거야. 이건 보답이다."

마물은 카이에게 작은 상자를 건넸다.

"여기에서 무사히 탈출하면 이 상자를 열어봐. 원래는 그게 있었기 때문에 인간들에게 잘난 체할 수 있었는데···, 이제 필요 없으니까 너에게 줄게. 어딘가에서 골렘을 만나면 안부나 전해 주라고."

마물은 그렇게 말하고는 어딘가로 사라져버렸다. 카이는 중앙 엘리베이터 버튼을 눌렀다.

➡ **엘리베이터에 탄다.** → 26으로

59 ↪ 15

카이는 가게 주인에게 주변에 대해서 물어보았다.

"뭐야, 이 주변은 처음 온 건가? 그렇다면 말이지, 남서쪽에 있는 산 안쪽으로는 들어가지 않는 게 좋을 거야. 거기에는 산적 아지트가 있거든. 산속으로 통하는 다리 근처에 가면 습격당할 거라고. 그 녀석들은 의적 행세를 해서 여자들은 건드리지 않는다지만 말이야."

"산적, 말인가요…?"

"그래, 그 녀석들은 암호를 사용해서 연락을 주고받기도 한다더군. 암호를 푸는 열쇠는 '고요한 자판을 치우면 나타난다'고 들은 적이 있어. 무슨 말인지는 전혀 모르겠지만. …그래서, 손님은 뭘 살 생각이지?"

카이는 대충 값싼 것을 사고는 산속으로 통하는 다리가 있는 장소를 물어 보았다.

【MAP 4의 '흔들다리'에 70이라고 기입】

【소년의 기록란 14에 '산적의 암호, 고요한 자판을 치우면 나타난다'라고 기입】

60

울창한 숲 너머로 폐허처럼 보이는 궁전이 보인다. 저기가 마물이 숨어들어 있는 궁전이다.

궁전 입구 문은 매우 무거워서 카이의 힘으로는 열리지 않을 것 같다. 돌로 만들어진 문으로, 열쇠는 잠겨있지 않지만 열려면 상당한 힘이 필요해 보인다.

➡ 궁전 주변을 탐색한다. → 11로

➡ 단서 **마**가 있는 경우

　　→ 60 + 지시 번호 **마**

61 ↪ 79

➡ 아래 그림을 참고해서 탐색하라.

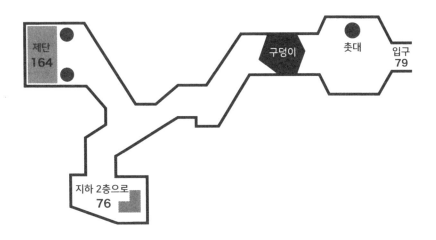

62 ↪ 139

"왜 이런 짓을⋯?"

"내가 이 섬의 신이 되는 거다. 신의 나라가 가까워졌구나⋯. 크크크."

카이는 이성을 잃고 교황에게 돌진했다. 교황의 검이 내리꽂히자 카이는 몸을 움직일 수 없었다. 무언가가 떨어지는 소리가 들려 발끝을 내려다보니 구두가 붉은 액체로 물들고 있었다. 카이는 앞으로 기울어지듯 쓰러졌다.

GAME OVER

63 ↪ 30

기사의 갑옷을 본 아이는 존경하는 듯한 눈빛으로 카이를 바라보았다.

"멋있다! 나도 입어보고 싶어!"

아이는 그렇게 말하고는 흥분한 듯 갑옷을 쓰다듬고 냄새를 맡아 보았다.

➡ 단서 **루**가 있는 경우 → 63 + 지시 번호 **루**

64 ↩ 40

곶의 마을에서는 페텔과 류류의 성대한 결혼식이 열리고 있었다. 인기 있는 무희 비비가 축하 무대를 펼치고 신랑 신부는 행복한 듯 보였다. 집배원 에르카도 결혼식을 지켜보고 있다.

신부 류류가 답례품을 나눠주며 카이에게까지 왔다.

"안식의 종을 울린 카이 씨군요! 오늘은 와주어서 고마워요. 이건 답례품이에요."

카이는 류류가 직접 만든 초콜릿을 받았다.

【단서 파에 '초콜릿', 지시 번호 파에 55라고 기입】

65

카이는 자신이 쓰러져 있었던 해변을 찾아왔다. 쓰러져 있을 때는 눈치채지 못했지만, 신비로운 조각상 3개가 바다를 바라보고 서 있다. 바다의 수호신인 걸까, 뱃사람 모양을 하고 있다.

➡ 단서 **기**가 있는 경우 → 65 + 지시 번호 **기**

66 ↩ 205

마을 남동쪽 구석에는 유일하게 망가지지 않고 남아있는 집이 있다. 아무래도 최근에 지어진 것 같았다. 카이가 집 안으로 들어가자 노인 한 명이 조용히 살고 있었다.

"할아버지는…?"

"오오, 사람이 찾아온 건 오랜만이군. 나는 마을이 멸망했다는 소문을 듣고 여기에 살면서 유해를 묻어주고 있다네. 내 동생이 이 마을에서 죽었는데…, 살해를 당했거든."

➡ 멸망한 마을에 대해서 묻는다. → 169로

67 ↩ 190

카이는 예배당의 스테인드글라스를 바라보았다. 형형색색의 유리로 만들어진 천사는 햇빛이 비치자 날개를 반짝이며 축복의 춤을 추고 있는 듯 보였다.

"시몬! 이 마을에 와있었군요!"

자신을 불렀다는 것을 알아채고 뒤돌아보자 하얀 옷을 입은 소녀 한 명이 서 있었다.

"당신, 방향치이니까 어딘가에서 헤매고 있을 거라고 생각했어요."

소녀는 기사를 잘 알고 있는 듯했다.

"아, 아아…, 응. 잘 찾아왔어."

문득 카이는 이런 일이 전에도 있었던 것처럼, 그립고도 신비로운 데자뷔에 휩싸였다. 소녀의 눈을 보고 있으면 카이는 아득한 기억이 되살아날 것만 같았다.

➡ **되살아나는 기억 → 96으로**

68 ↪ 55

카이는 왼손이 요새 벽을 통과하는 모습을 보초병에게 보여주었다.

"재미있군. 들어가도 좋다. 죄수가 있는 곳은 2층이다."

카이는 요새로 들어가 중앙 엘리베이터를 타고 2층으로 올라갔다.

➡ **2층으로 → 237로**

69 ↪ 145

카이는 무덤 앞에 웅크리고 앉아 묘비를 읽었다.

"강철의 기사 엔데, 사랑하는 힐다에 대한 마음을 가슴에 안고 여기에 잠들다…, 여기가 엔데의 묘지구나."

70

서쪽 마을에서 남서쪽으로 한동안 걷다 보니 산악지대의 협곡에 걸린 흔들다리에 도착했다. 흔들다리 바로 근처에 세워진 표지판에는 '산적주의!'라고 적혀 있다. 인기척은 없고 몇 마리의 솔개가 하늘을 빙빙 돌고 있다.

➡ **다리를 건너려고 한다. → 192로**
➡ **단서 서가 있는 경우 → 70 + 지시 번호 서**

71 ↱ 115

문을 지나서 여관으로 들어서자 애교가 가득한 여관 주인이 카이를 맞이했다.

"저기, 하루에 얼마인가요?"

"네, 1박에 조식 포함으로 80릴이에요. 빈 방은 이제 하나밖에 남지 않았답니다."

검문소의 봉쇄가 풀린 뒤, 남쪽에서 많은 사람이 왔다고 한다. 무엇보다 무일푼이나 다름없는데 어째서 이런 멋진 여관의 요금을 물어본 걸까. 카이는 후회와 함께 숙소를 나섰다.

72 ↱ 107

"**72**번."

"72번…, 강도 피용이로군. 상대는 여자지만 이미 두 명을 이겼다. 네가 지면 그녀는 우승이지. 자, 이 검을 가져가."

보초병은 카이에게 검을 쥐여 주었다.

"만약…, 죽으면 어떻게 되나요?"

"죽으면? 하하하. 요새 뒤쪽의 정글에 그냥 버려질 뿐이야. 자 어서 가!"

보초병은 카이에게 얇은 철 가면을 무리하게 씌운 다음, 계단을 오르라고 했다.

➡ **결투장으로 간다. → 86으로**

73 ↱ 5

인도의 사당 뒤편으로 돌아 들어가자 카이는 무심코 숨을 삼켰다. 바닷길이 열리고 유배섬으로 이어진 길이 나타나 있었던 것이다. 처음 보는 광경에 카이는 심장이 덜컹 내려앉았지만, 바닷길을 따라서 유배섬으로 이동했다.

섬에는 나무 한 그루조차 자라지 않고 황량한 경치 속에서 곧 무너질 듯한 오두막 한 채가 서 있을 뿐이었다.

【MAP 6의 '비밀의 오두막'에 165라고 기입】

카이는 마물에게 받은 열쇠로 철문을 열었다. 겉으로 보기에는 보물창고처럼 보였지만, 창고 안에는 보석함이 단 하나 놓여있을 뿐이었다. 카이가 보석함을 열자 그 안에는 커다란 물병과 종이 한 장이 들어 있었다.

카이는 종이에 적힌 문장을 읽어 내려갔다.

> 우리 회사의 "메마른 물병"을 구입해 주셔서 감사합니다. 이 물병은 아무리 많은 수분이든 모두 흡수하는 획기적인 상품입니다. 엎지른 수프, 유통기한이 지난 주스, 흘린 침, 불장난한 날에 실례한 소변까지... 액체라면 뭐든지, 얼마든지 흡수할 수 있습니다.

【단서 **타**에 '메마른 물병', 지시 번호 **타**에 57이라고 기입】

곶의 마을에서 북쪽으로 광활한 초원을 지나 완만한 산길을 오르면 좁은 오솔 길 사이에 검문소가 있다. 황토색 벽돌을 쌓아 만들어 겉보기에도 무척 튼튼해 보이는 구조이다.

그 옆에는 미간을 찌푸린 험상궂은 표정의 문지기가 창을 쥐고 서 있다. 문지 기는 얼핏 보기에는 무서워 보였지만, 어깨에 비둘기를 올려놓은 모습을 보고 카이는 웃음이 터져 나왔다.

"여기를 지나갈 수 있는 건 기사의 증거를 가진 자 뿐이다."

'기사의 증거…?'

➡ 기사의 증거에 대해 물어본다. → 122로

➡ 단서 **다**가 있는 경우 → 75 + 지시 번호 **다**

➡ 오른쪽 그림을 참고해서
   탐색하라.

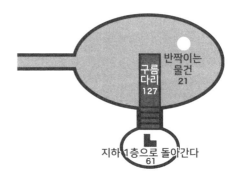

77 ↪ 237

"**섬**의 변화를 조사하던 사람이 당신인가요?"

카이는 철창 너머로 말을 걸었다.

"변화를 끝내고 이 섬을 탈출하고 싶어요."

죄수는 카이에게 접근해 철창을 양손으로 잡고는 메마른 목소리를 쥐어짰다.

"잘 듣거라…, 소년. 섬에 변화가 일어난 건…, 금지된 주술의 봉인이 풀려버렸기 때문이다."

"금지된 주술…이요?"

"그렇다…, 그 주술이 어떤 건지 알 수는 없지만, 그 주술이 섬의 조화를 흩어 놓았어. 누군가 신에게 그 주술을 사용한 게 틀림없다. 그리고 봉인을 푼 건 로즈레이 기사단의 교황이다."

"교황이요?"

"벼랑 위의 성당에서 교황의 방을 잘 찾아보아라. 주술의 비밀을 알 수 있을지도 모르니까. 그리고 이 변화를 가라앉힐 방법도 알 수 있을지도 모르지…. 부디 섬을 구해줘…, 부탁하네."

"알겠습니다…. 반드시, 제가 섬의 변화를 끝낼게요."

"부탁 하나만 더…, 들어 주겠나? 이걸 내 딸아이에게 전해줬으면 하네."

남자는 카이에게 작은 상자를 건넸다.

"내 이름은 야코피. 변방의 마을에 들릴 일이 있거든 아내 미트라가 사는 집을 찾아가 줘."

【MAP 1의 '미트라의 집'에 210이라고 기입】

【단서 🟤에 '주술의 비밀', 지시 번호 🟤에 54라고 기입】

【소년의 기록란 19에 '교황의 방을 찾아 주술의 비밀을 밝힌다'라고 기입】

78 ↪ 160

카이는 다리 근처까지 와서 보고는 저도 모르게 말을 잃었다. 교각은 무너져 있고 발판은 엉망으로 망가져 있었다.

'이래서는 서쪽으로 건너갈 수 없잖아….'

카이는 가방에서 횃불을 꺼내 불을 붙였다.

'페텔에게 덤으로 받은 횃불이 도움이 되는군.'

횃불을 동굴 안에 비추자 몇 걸음 앞에 커다란 구덩이가 있는 것 같았다. 가까이 다가가서 신중하게 구덩이 크기를 살펴보았다.

'도움닫기를 하면 뛰어넘을 수 있을지도 모르겠는데….'

카이는 횃불을 반대편으로 던지고는 걸음 수를 세면서 천천히 뒤로 물러났다. 그리고는 있는 힘껏 달려와 낭떠러지 앞에서 땅을 박차고 뛰어올랐다. 생각보다 구덩이의 크기가 커서 카이는 반대편 낭떠러지 끝에 상반신만 겨우 걸친 자세로 매달렸다가 남은 힘을 모아서 기어올랐다. 횃불을 주워들고는 한숨을 내쉰다.

'큰일 날 뻔 했군…. 어, 어라? 가방이 없어!'

뛰어올랐을 때 떨어뜨린 것 같았다.

'페텔이 신경 써서 준건데. 할 수 없지. 어서 가자.'

【단서 **노**에 '떨어진 가방', 지시 번호 **노**에 69라고 기입】

➡ 앞으로 간다. → 61로

판자로 지어진 오두막은 바닷바람에 휩쓸려 크게 망가진 듯했다. 탁해진 창문으로 희미한 불빛이 새어 나오고 있다.

➡ 오두막으로 들어간다. → 212로

➡ 단서 **일**이 있는 경우 → 80 + 지시 번호 **일**

➡ 단서 **백**이 있는 경우 → 80 + 지시 번호 **백**

☞ 다른 단락에서 어드벤처 시트의 "단서"에 내용, "지시 번호"에 숫자를 기입하라는 지시가 나타납니다. 이러한 내용이 기입되어 있다면 지시 번호를 이용해서 다른 단락으로 갈 수 있습니다. 예를 들면, 단서 **일**에 기입된 내용이 있는 경우, 이 단락의 숫자(80)에 지시 번호 **일**을 더한 숫자에 해당하는 단락으로 이동할 수 있습니다.

☞ 단서를 갖고 있지 않은 경우, 이 단락 번호를 메모해 두었다가 단서를 찾으면 다시 이 단락으로 돌아올 것을 추천합니다.

☞ 『소녀의 책』에서 입수한 단서는 『소년의 책』에서 사용할 수도 있습니다. 이야기 진행이 막히게 되면 『소녀의 책』을 진행해 보세요.

81 ↪ 250

카이가 우물물을 길어 올리자 네네는 바가지로 물을 마셨다. 네네가 물을 다 마시고는 우물물을 길어 올리자 이번에는 카이가 바가지로 물을 마셨다.

"후우. 깨끗하고 맛있는 물이야."

"맞아. 있잖아, 카이. 언덕 정상에 가보지 않을래? 마을이 한눈에 보일 거야."

82 ↪ 243

책상 위에는 펜이 늘어서 있고 흡수 거즈 위에 잉크가 놓여 있다. 아무것도 쓰여 있지 않은 종이 위에는 커다란 안경이 올려져 있다.

'그 마물 녀석, 눈이 나쁜 건가?'

카이는 잉크와 거즈 사이에 끼어 있던 종잇조각을 발견했다. 종잇조각에는 다음 문자가 적혀있다.

ㅊ ○ ○ / ㅈ ㅆ ㅁ

【소년의 기록란 10c에 'ㅊ ○ ○ / ㅈ ㅆ ㅁ'이라고 기입】

83 ↪ 50

"해가 저물 때까지 여기에서 시간을 보내자."

카이는 카운터에 앉아 핫밀크를 주문했다. 문득 옆자리에 앉은 젊은 남자를 바라보니, 그는 난처한 표정을 짓고 있었다.

위쪽이 평평한 모자를 쓰고 커다란 빨간색 숄더백을 의자에 올려 두었다. 집배원처럼 보였다.

"무슨 일이 있나요?"

"아니, 참 곤란해졌어. 나는 보는 바와 같이 집배원인데, 곶의 마을에서 편지를 부탁 받았거든."

편지는 이번에 결혼할 남자가 그의 할머니에게 보내는 것으로 서둘러서 전달해야만 한다고 했다.

"배달지가 서쌍둥이 섬의 산속 마을인데, 검문소가 다시 열린 건 다행이지만 이번에는 서쪽으로 건너가는 다리가 부서져버렸지 뭐야."

"저도 이 섬을 떠나고 싶은데 돌풍이 심해서 어느 마을에서든 배가 뜨지 않아요."

"서쪽 마을로 가면 실력 좋은 선장, 휴고가 있어."

"그 사람이라면 돌풍을 뚫을 수 있을까요⋯?"

➡ 단서 **두**가 있는 경우 → 83 + 지시 번호 **두**

84 ↪ 172

"제가 그 저주를 받을게요. 저주가 필요합니다."

"너⋯, 무슨 소릴 하는 거야?"

자리에서 일어선 두목의 반지에서 보랏빛 연기가 뿜어져 나오더니 방을 가득 채웠다. 연기는 해골 모양으로 바뀌더니 말을 하기 시작했다.

"저주의 의식을 시작한다. 카이여⋯, 이 세상을 에워싼 것이 있다⋯. 그 가장 어두운 곳을 찾아⋯, 모험의 종이가 인도하는 주문을 읽으라⋯."

➡ 수수께끼를 풀어서 나타나는 숫자에 해당하는 단락으로

85

성당으로 가려면 험난한 산길을 올라야만 한다. 뒤편은 깎아지른 절벽이라 서쪽 마을 사람들은 벼랑 위의 성당이라고 부른다.

입구에는 두 명의 근위병이 엄숙한 표정으로 주위를 지키고 있어 긴장감이 감돈다.

➡ 들어간다. → 144로

➡ 단서 **아**가 있는 경우 → 85 + 지시 번호 **아**

➡ 단서 **주**가 있는 경우 → 85 + 지시 번호 **주**

86 ↪ 72

카이는 옥상 결투장으로 올라갔다. 관중석에서는 함성과 호통이 뒤섞여 이상한 광경을 자아냈다.

정면 계단에서 철 가면을 쓰고 검을 쥔 여자 죄수가 등장했다. 여자는 가냘픈 체격으로, 카이는 아무리 봐도 저렇게 건장한 남자들을 저 여자가 쓰러뜨렸다는 사실을 믿을 수 없었다.

팡파르가 울리자 관중석의 함성은 더욱 격렬해졌다. 카이는 어쩔 수 없이 검을

들었다. 여자 죄수도 똑같이 검을 들어 올렸다.

'어떻게든 이 사람이 내 왼쪽 가슴을 찔러 준다면, 죽은 척을 해서…'

두 사람은 미동도 없이 서 있었다. 그러자 관중석에서 야유가 들려오더니 물건이 마구 날아들었다. 한 관객이 던진 쓰레기가 여자 죄수에게 떨어지자 철 가면이 벗겨졌다.

'저 얼굴…!! 어촌 예배당에서 만난 여자아이잖아! 어째서…??'

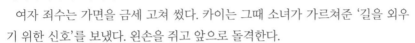

여자 죄수는 가면을 금세 고쳐 썼다. 카이는 그때 소녀가 가르쳐준 '길을 외우기 위한 신호'를 보냈다. 왼손을 쥐고 앞으로 돌격한다.

'왼쪽이야! 내 왼쪽 가슴을 찔러야 해!!'

마음속으로 그렇게 바라며 소녀를 향해 뛰기 시작했다.

➡ 133으로

87 ↪ 83

계단 위에 걸린 추시계를 보자 곧 해가 질 시간이 된 것 같았다.

"배달하다가 알게 된 건데, 최근에 섬이 조금 이상해졌어. 뭐랄까, 동물들도 흥분한 것 같다고나 할까?"

"남쪽 숲에 있던 짐승들도 매우 난폭해져 있었어요."

"게다가 마물까지 부활했다고 하지, 이건 분명 뭔가가 있는 거야. 너도 여행을 떠날 거라면 조심해야 해. 나는 집배원 에르카라고 한다. 또 어딘가에서 만날지도 모르겠군."

에르카는 그렇게 말하고는 카이의 핫밀크 값까지 계산하고 술집을 나섰다.

'자, 이제 해가 지고 있어. 수장의 집으로 가서 오늘은 재워달라고 하자.'

【단서 **라**에 '석양', 지시 번호 **라**에 56이라고 기입】

카이는 빨간 팔찌를 차고는 문을 열려고 힘을 모았다. 하지만 철문의 열쇠는 견고해서 꿈쩍도 하지 않았다.

'역시 여기를 열려면 열쇠가 있어야겠어.'

왼쪽 감옥방을 보고는 깜짝 놀랐다. 소머리를 한 그 마물이 붙잡혀 있었다. 마물은 팔을 괴고 누워있다가 카이를 발견하고는 깜짝 놀라 침대에서 굴러 떨어졌다.

"너, 네놈은 그때 그…, 꼬마가 아닌가?"

"뭐야…, 너도 여기 갇혀 있던 거야?"

"그 후에…, 시몬이라는 기사에게 붙잡혀서 이 감옥방에 갇히고 말았지. 이렇게 더러운 곳은 정말 싫어…. 더 이상 인간은 상종도 하고 싶지 않다고."

"정말이야? 앞으로 사람을 곤란하게 만들지 않는다고 약속하면 탈옥시켜 줄게."

"어, 이제 산속 어딘가에 틀어박혀서 조용히 살 거야. 그나저나 정말로 탈옥이 가능한 건가?"

"해봐야 알겠지만…, 그쪽 감옥방에는 뭔가 정보가 없어?"

"정보? 잘은 모르겠지만 종잇조각은 있다. 그런데 그쪽 감옥방까지는 손이 닿지 않을 텐데."

카이는 왼팔을 마물의 감옥방으로 밀어 넣었다.

"우와아아! 역시 인간은 한없이 무서운 생명체로군!"

"잔말 말고, 그 종잇조각을 이리 줘."

"어이 거기! 잡담하지 마!"

교도관이 눈치를 채고 두 사람에게 소리쳤다.

카이는 왼손에 종잇조각을 쥐고 왼팔을 벽에서 꺼냈다.

종잇조각에는 이렇게 적혀 있었다.

기호와 기호의 사이를 세어라

"무슨 뜻이지?"

【소년의 기록란 21a에 '기호와 기호의 사이를 센다'라고 기입】

90

산속 마을에서 동쪽으로 향하자 산 경사면에 광산의 채굴장 입구가 보였다.

그 옆에 있는 제련소에서는 연기가 피어오르고 건장한 체격의 광부들이 바쁜 듯 돌을 옮기고 있다.

➡ 광부와 이야기한다. → 22로

91 ↱ 249

카이는 기묘한 모양의 열쇠를 철문 열쇠 구멍에 꽂았다. 안에서 열쇠의 배가 꿈틀대는 것 같은 감촉이 들어서 기분이 꺼림칙했지만, 열쇠를 돌리자 소리도 없이 잠금쇠가 열렸다. 묵직한 문을 밀자 좁은 통로가 나타났고, 오른쪽 구석에는 2층으로 이어진 계단이 있었다.

➡ 계단을 올라간다. → 234로

92 ↱ 129

➡ 오른쪽 그림을 참고해서 탐색하라.

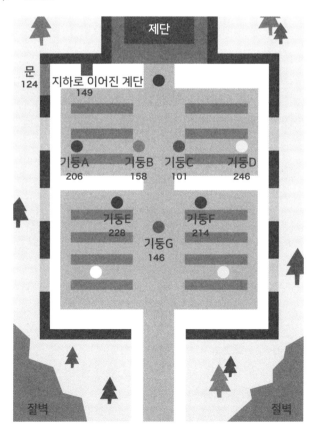

제단

문 124

지하로 이어진 계단 149

기둥A 206 기둥B 158 기둥C 101 기둥D 246

기둥E 228 기둥G 146 기둥F 214

절벽 절벽

카이는 물통에 담은 생명수를 문지기에게 내밀었다.

문지기는 표정 하나 바뀌지 않고 시험지로 사용하는 종이를 물속에 담갔다. 종이를 타고 물이 서서히 번지더니 파란색으로 변했다.

"오오…. 바로 이게 그 생명수. 어떻게 구했는가? 아니, 그런 건 상관없다."

"이제 지나가도 되는 건가요?"

"음. 소년이여, 북쪽으로 가는 건 처음인가?"

"그렇습니다."

"그렇다면 이것을 가져가도록 해. 북쪽 마을까지 그려진 지도다. 마을까지는 거리가 조금 있지. 도중에 호수 낚시터가 있으니 쉬어가도록 해. 검문소 봉쇄는 이제 풀어주마. 나는 여기에 계속 남아있어야 하지만, 생명수를 가진 자가 검문소를 통과했다는 사실을 수장에게 알려야겠어."

문지기는 그렇게 말하고는 어깨에 앉아있던 비둘기를 하늘로 날려 보냈다.

"고맙습니다. 문지기 아저씨."

카이는 문지기에게 북쪽 마을까지 그려진 지도를 받아 들고 검문소를 통과했다.

【MAP 3을 펼친다.】

【MAP 3의 '수장의 집'에 105, '술집'에 50, '우물'에 175, '여관'에 115, '호수 낚시터'에 30, '망가진 다리'에 160이라고 기입】

【단서 **도**에 '봉쇄 해제', 지시 번호 **도**에 12라고 기입】

카이가 장로의 집에 찾아가자 마침 집배원이 집 안에서 나오던 참이었다.

"여어, 또 만났군. 요전에 술집에서 이야기했었잖아?"

어촌의 술집에서 핫밀크 값을 대신 내준…, 에르카라고 했던 것 같은데.

카이가 기억을 상기시키고 있었다.

"지금 마침 편지를 전달해줬어. 드디어 일이 끝났다고. 당분간은 조금 쉬면서 이 주변에 있는 명소라도 돌아볼까 해. 너는 어때? 고향으로 갈 수 있을 것 같은가?"

에르카는 카이와 두세 마디 이야기를 나누고는 또 보자며 손을 흔들고 사라졌다. 카이는 장로의 집으로 들어섰다.

산속 마을의 장로, 얀카는 90세를 넘긴 할머니다. 장로는 침대에 누운 채로 창밖의 참새와 대화를 나누고 있다.

➡ 에르카가 전해준 편지에 대해 물어본다. → 116으로

◀ 95 ▶

안식의 탑 북쪽에는 두 개의 언덕 사이로 깊은 숲이 펼쳐져 있다. 짐승의 숲이다.

➡ 숲속으로 들어간다. → 183으로
➡ 단서 🄱이 있는 경우 → 95 + 지시번호 🄱

◀ 96 ▶ ↪ 67

어둡군….
금이 간 전구가…, 천천히 깜빡이고 있어….
저쪽에 누군가 앉아 있는데….
누구지…?
"이거, 줄게. 언덕에 있는 나무를 깎아서 만들었어."
… 작은 목걸이….

"왜 그래요? 시몬."
"어…. 아, 아니 아무것도 아니야."
"마물을 퇴치하러 가는 거죠? 궁전은 어느 쪽인가요?"
카이는 소녀에게 궁전이 있는 곳을 알려주었다.
"그렇구나~, 꽤 멀리 있네. 또 길을 헤매는 거 아니에요? 이렇게 외워 보세요.
다음 길에서 오른쪽으로 꺾을 때는 오른손을 쥐어요. 왼쪽으로 꺾을 때는 왼손
을 쥐는 거죠. 이러면 헷갈리지 않겠죠? 힘내요!"
"고…, 고마워."
카이는 허둥지둥 예배당을 빠져나왔다.
'후우. 위험할 뻔했어. 설마 아는 사람이 있을 줄이야.'
문밖에서 한숨 돌리고 있으니 때마침 신부님이 돌아왔다.
【소년의 기록란 11에 '금이 간 전구'라고 기입】
➡ 신부님에게 말을 건다. → 56으로

97 ↱ 180

카이는 주민들에게 이 마을의 주변에 관해서 물어보았다.

"근처에 광산이 있는데 말이야, 힘깨나 쓴다는 남자들은 죄다 거기서 일하고 있어. 보기 드문 것들이 종종 발굴된다지. 언젠가는 이상한 반지가 나온 적도 있었지."

【MAP 5의 '광산'에 90이라고 기입】

98 ↱ 183

신변의 위험을 감지한 카이는 쏜살같이 줄행랑쳤다. 호랑이의 발소리가 뒤따라왔지만, 뒤돌아보지 못한 채 반쯤 정신이 나간 상태로 숲을 빠져나왔다.

다리에 힘이 풀려 휘청대며 그 자리에 그대로 쓰러진 카이는 포효가 들려오는 숲을 바라보면서 가쁜 숨을 내쉬었다. 호랑이는 숲에서는 더 이상 밖으로 나오지 않는 모양이었다.

'안식의 종을 울려서 짐승들을 안정시키지 않는 한…, 이 숲을 빠져나갈 수 없겠어.'

99 ↱ 140

"산적의 동료로 받아주실 수 있나요?"

카이는 두목에게 물어보았다. 두목은 두건을 벗고는 머리를 흔들며 긴 머리칼을 풀어헤쳤다. 케이프 아래로 촉촉한 입술이 드러나자 카이는 깜짝 놀랐다.

"산적의 두목이 여자일 거라고는 생각지도 못했다는 표정이네?"

카이는 너무도 놀란 나머지 아무런 대답도 하지 못한 채 멍하니 서 있을 뿐이었다.

"그건 됐고. 두 가지 시험을 통과하면 동료로 받아주겠다. 단, 실격한 경우에는…, 죽어줘야겠어."

두목은 카이의 눈을 뚫어져라 바라보고는 빙긋이 웃었다.

"이 암호를 푼다면 첫 번째 시험은 합격이다. 준비는 되었겠지? <고백 요구한 십자 칠판>이다. 다시 한번만 말해주지. <고백 요구한 십자 칠판> 이게 암호다."

➡ 수수께끼를 풀어서 나타나는 숫자에 해당하는 단락으로

‹100›

쓸쓸한 선착장에 부는 바람이 바닷냄새를 마을까지 실어다 준다. 선착장에서는 몇 척의 배가 나란히 흔들리며, 바다로 나갈 때를 기다리고 있는 것 같았다. 부둣가 근처에는 선원들이 사는 오두막이 있다.

➡ 선원이 사는 오두막으로 들어간다. → 47로
➡ 단서 **우**가 있는 경우 → 100 + 지시 번호 **우**

‹101› ↪ 92

카이는 기둥을 바라보았다. 기둥에는 꺼림칙하게도 낫을 든 해골 조각이 새겨져 있다.

【소년의 기록란 16c에 '기둥C 해골'이라고 기입】

‹102› ↪ 220

정면의 철문을 열려고 시도했지만, 열쇠가 잠겨있는 것 같았다. 손잡이 위에 열쇠 구멍이 있다.

'이 문 반대편에 2층으로 올라가는 계단이 있는 걸까? 이제 어떻게 하는 게 좋을까….'

‹103› ↪ 205

카이는 가옥이 있었던 것으로 보이는 기왓조각 위에 서서 주변을 둘러보았다. 아주 약간 남아있는 외벽에 수식이 새겨져 있다.

$$\times \diamond \ ^{-} = 3$$

'전에도 이 집에 몇 번이나 와봤던 것 같아….'

【소년의 기록란 24f에 '✗ ◇ ⁻ = 3'이라고 기입】

104 ↪ 19

카이는 안쪽 계단으로 오르려고 했다. 하지만, 흙인형에 가로막혀 계단을 오를 수는 없었다.

105

어촌 수장의 집은 항구 바로 근처에 있으며, 독특한 모양의 그물이 처마 끝에 걸려 있었다. 이 마을의 전통 어업에 필요한 그물인 것 같았다.

➡ 안으로 들어간다. → 53으로
➡ 단서 **라**가 있는 경우 → 105 + 지시 번호 **라**
➡ 단서 **무**가 있는 경우 → 105 + 지시 번호 **무**

106 ↪ 40

카이는 길을 가는 떠돌이 상인에게 말을 걸었다.

"나는 북쪽 어촌에서 생선을 팔러 왔는데, 검문소가 봉쇄되어서 돌아갈 수가 없게 됐어. 문지기에게 봉쇄한 이유를 물어봐도 아무런 대답도 없고 말이야. 정말 큰 일이야. 검문소가 어디냐고? 지도를 줘봐. 이 평야에 난 길을 쭉 따라가다가…, 여기 산골짜기를 조금 올라가면 있지."

얼굴이 빨개진 상인은 술 냄새 가득한 숨을 뿜어내며, 카이에게 검문소가 있는 곳을 알려줬다.

【MAP 2의 '검문소'에 75라고 기입】

107 ↪ 26

"출전자인가? 좋다, 출전 번호를 말해."

➡ 출전 번호에 해당하는 단락으로

108 ↪ 190

수녀는 기사의 모습을 한 카이에게로 뛰어왔다.

"기사님! 와주셨군요. 5년 전, 엔데 기사님은 신비로운 팔찌의 힘을 빌려서 마물을 쓰러뜨렸다고 했어요. 신의 가호가 함께 하기를…."

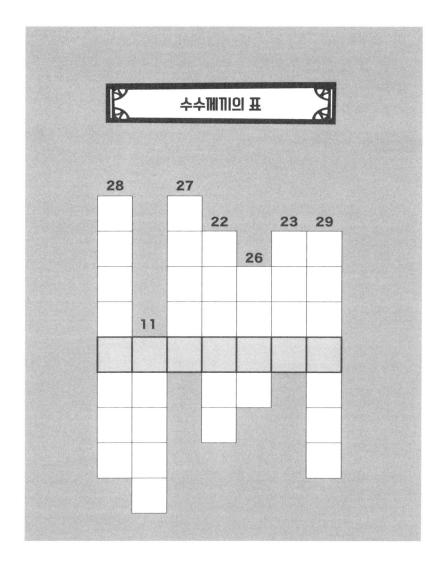

카이는 지하수로를 따라서 비밀 장소로 갔다. 네네가 기다리고 있었다. 두 사람은 마을의 비밀 서적 2권을 갖고 있었다. 카이는 초록색, 네네는 빨간색 책에 담긴 비밀을 풀어야만 한다. 카이가 가진 초록색 책에는 수수께끼의 표가 실려 있다. (아래 그림 참고)

➡ 수수께끼를 풀어서 나타나는 숫자에 해당하는 단락으로

104
105
106
107
108
109

수수께끼의 표

‹110›

바다는 생각보다 잔잔한 모습이다. 절벽을 따라 바위를 조심스레 내려가자 깜깜한 동굴이 입을 쩍 벌리고 있다. 동굴 안쪽은 바닷물에 잠겨있어 들어갈 수는 없다. 카이는 깜깜한 동굴을 들여다보았다. 어디로 이어져 있는 것일까?

➡ 단서 **타**가 있는 경우 → 110 + 지시 번호 **타**

‹111› ↪ 191

"미안하지만…."

카이는 남자의 부탁을 거절했다. 남자는 아쉬워하는 표정으로 중얼거렸다.

"그렇구나…. 아무래도 힘들겠지? 사례를 하려고 했는데…."

‹112› ↪ 65

카이는 해변을 걸어보았다.

"어라?"

모래사장에 발자국이 있다. 방금 찍힌 듯 선명한 발자국으로 카이의 발보다는 조금 작았다.

"오두막의 할아버지는 다리를 끌면서 걸었는데…, 또 누가 왔었나?"

‹113› ↪ 25

카이는 카운터에 앉아 술을 마시고 있는 여자에게 말을 걸었다.

"아아, 무서워서 혼났네. 아까 전까지 온몸이 검은 남자가 저쪽에서 술을 마시고 있었거든. 얼핏 보기에도 수상해 보여서 힐끔힐끔 보고 있었는데…, 아까 어디에선가 아름다운 종소리가 들렸잖아? 그 소리가 나자마자 그 남자가 거품을 물고 쓰러졌지 뭐야! 정말 놀랐어. 괜찮냐고 말을 걸었는데 손을 뿌리치고는 여기를 재빨리 나가버렸어. 무슨 일일까?"

【소년의 기록란 5에 '온몸이 검은 남자는 종소리를 싫어한다"고 기입】

114 ↪ 192

돈이 되는 물건 따위를 갖고 있을 리 없다. 붙잡히면 끝이다. 카이는 산적 틈을 뚫고 말 사이를 피해서 죽을힘을 다해 달렸다. 하지만, 산적이 던진 로프가 카이의 발목에 감기자 카이는 굉장한 몸짓으로 넘어지고 말았다. 움직일 수 없게 된 카이는 허무하게도 산적에게 붙잡히고 말았다.

GAME OVER

115

우물이 있는 광장에 접해있는 건물은 해변에 있는 집들에 비해 하나같이 멋들어진 외관을 뽐냈지만, 그 중에서도 이 여관은 아름다운 조각이 새겨진 아치문이 한층 고급스러운 분위기를 자아내고 있었다.

➡ 여관으로 들어간다. → 71로
➡ 단서 **라**가 있는 경우 → 115 + 지시 번호 **라**

116 ↪ 94

"**편**지가 왔나 봐요?"

"그래. 손주에게서 편지가 왔지. 곧 결혼을 한다는구만! 잘됐지 뭐야. 결혼식에는 갈 수 없지만 축하는 해주고 싶은데…, 그렇지! 무희에게 축하 무대를 부탁해 볼까? 내가 아는 사람 중에 무희가 있거든."

장로 얀카는 그렇게 말한 뒤 편지를 쓰기 시작했다.

"카이라고 했던가? 미안하지만, 조금 전에 본 집배원을 만나면 이 편지를 전해주고 극단의 비비라는 무희에게 전해주라고 일러 주겠나?"

"네. 그렇게 할게요."

카이는 얀카의 편지를 받아 들었다.

【단서 **자**에 '비비에게 보내는 편지', 지시 번호 **자**에 83이라고 기입】

117 ↳ 250

네네는 작은 책상 위에서 목걸이를 만들고 있다. 뒤에는 카이와 네네의 이름이 새겨져 있다.

"다 만들어지면 카이에게 줄게! 커플 목걸이야."

118 ↳ 200

마을의 소녀들은 모두 흥분 상태로 눈이 반짝반짝 빛났다. 이야기를 들어보니 근처에 이동식 극단이 찾아와 그 이야기로 마을 전체가 시끌벅적하다고 한다.

"오늘 밤, 무료 공연이 있대요! 당신도 가봐요. 장소를 알려 줄게요."

【MAP 4의 '이동 극장'에 215라고 기입】

119 ↳ 225

카이는 지하수로의 입구를 열었다.

"아직 이 마을에 살아남은 녀석이 있었다니."

뒤를 돌아보자 교황이 카이를 노려보며 서있다.

"기억이 돌아오게 둘 것 같으냐? 내가 이 쌍둥이 섬의 신이 되겠다!"

➡ **싸운다. → 14로**

120 ↳ 13

카이는 테이블 위로 뛰어올라 밧줄 끝에 달려 있는 추를 바꿔 달았다. 손에 묻은 먼지를 털고 기대감을 가득 품은 채 밧줄을 당긴다. 이번에는 손끝에 확실한 반응이 느껴지더니 안식의 종이 울렸다.

부드러운 음색이 멀리까지 퍼져 짐승의 숲을 뒤덮었다. 종소리의 여운이 탑 아래의 숲으로 천천히 스며들었고, 그에 대답하듯 숲에서 들려오던 동물들의 포효가 점점 사라져갔다. 여운이 완전히 사라지자 주변은 다시 침묵에 잠겼다.

'됐어…! 이제 짐승의 숲을 지나갈 수 있겠어. 오두막에 사는 할아버지도 들으셨을까? 도와주셨으니 보답을 하러 가야겠다.'

【단서 백에 '안식의 종', 지시 번호 백에 82라고 기입】

121 ↩ 239

카이가 그 기호를 읽자 갑옷이 들어 있는 상자의 뚜껑이 천천히 열렸다. 마법이 풀린 것 같았다. 카이는 수장의 도움을 받아 은백색으로 빛나는 엔데의 갑옷을 입었다.

"오오! 검과 방패도 없는데 훌륭한 기사가 된 것 같구먼. 만약 기사님을 아는 사람이라도 만난다면 적당히 맞춰줘야 한다."

"그나저나, 마물이 숨어있다는 궁전이란 곳은 어디인가요?"

"설마 마물을 쓰러뜨리러 갈 생각인가?"

"할 수 있을지는 모르겠지만 서쪽으로 가려면 신성한 도끼를 되찾아서 다리를 고쳐야 해요…."

"진짜 기사님이 오기 전까지 기다리는 게 좋을 것 같은데…."

수장은 마물이 있는 궁전의 장소를 알려 주었다.

"아무튼, 오늘은 우리 집에서 자고 가도록 해. 갑옷을 벗고 마을을 둘러보기도 하고 말이야. 해가 지기 전에는 돌아와야 하네."

【단서 **다**에 '기사로 변장', 지시 번호 **다**에 33이라고 기입】
【MAP 3의 '마물의 궁전'에 60이라고 기입】
【소년의 기록란 9에 '마물에게서 신성한 도끼를 되찾아 다리를 복구한다'라고 기입】

122 ↩ 75

"기사의 증거요?"

"로즈레이의 기사가 예배당을 나올 때 성배로 정화한 물을 지참하도록 되어 있지. 그것이 바로 생명수라고 불리는 기사의 증거다. 정화한 물은 특수한 성분으로 바뀌어서 여행 중의 갈증을 달래 준다고 하지."

"그냥 물하고 구분할 수 있습니까?

"시험지로 사용하는 이 종이에 생명수를 적시면 파랗게 변한다."

【소년의 기록란 6에 '생명수를 구해서 검문소를 통과한다'라고 기입】

117 118 119 120 121 122

카이는 산적의 두건을 단단히 동여매고 흔들다리 근처의 바위 뒤에 숨어 사람이 나타나기를 기다렸다.

'일단 흔들다리에는 왔지만, 검을 빼앗아 오라니…, 이것 참 난처하군.'

➡ 단서 **비**가 있는 경우
　　→ 123 + 지시 번호 **비**

124 ↪ 92

카이와 두목은 몸을 숨기고 안쪽으로 통하는 문으로 들어갔다. 두목은 문 열쇠를 아주 간단히 열었다. 문 반대편을 경계하면서 천천히 열자 밖으로 이어져 있었다. 뒷문인 듯했다. 뒤쪽은 낭떠러지였고 그 아래는 급류의 강이 흐르고 있다.

"왠지, 이쪽이 아닌 모양이군."

【단서 **어**에 '뒷문 해제', 지시 번호 **어**에 80이라고 기입】

123
124
125
126

125

울창한 짐승의 숲을 뒤로 한 채 안식의 탑이 우두커니 서있다. 돌로 만들어진 벽면에는 군데군데 이끼가 자라 있고 종루에는 금색 종이 걸려 있는 것이 보인다.

➡ 들어간다. → 220으로

➡ 단서 **가**가 있는 경우

   → 125 + 지시 번호 **가**

126 ↪ 42

"**너**는⋯, 네네."

"너는 카이구나⋯."

두 사람의 기억이 완전히 되살아났다.

"이 목걸이를 걸고 둘이 함께 마을을 나왔지."

"우리는 옛날에 여기에서 신이 낸 수수께끼를 풀었어."

"지금이라면 모두 기억해낼 수 있을 거야."

"응. 모두 기억해서 신과 가장 가까운 곳으로 가자."

카이와 네네는 목걸이를 걸고 어릴 적을 회상했다.

➡ 기억의 저편으로 떨어진다. → 250으로

127 ↩ 76

카이는 구름다리로 나가 지질학자에게 받은 물통에 샘물을 담으려고 했다.

그러자 갑자기 쇠사슬에 묶인 것처럼 몸을 움직일 수 없게 되고, 눈 앞에는 하얗고 거대한 무언가가 나타났다. 그 모습은 반투명하고 몸과 팔, 얼굴처럼 보이는 것은 있지만 눈과 코는 없다. 전체적으로 밋밋해서 입체감은 없으며 머리 양옆으로 솟아난 뿔이 반짝반짝 빛나고 있었다.

"새…, 샘의 정령이다!"

"어린 자여…, 내 제단에…, 보석을 바치라…."

➡ 제단과 보석에 대해서 묻는다. → 44로

➡ 단서 **니**가 있는 경우 → 127 + 지시 번호 **니**

128 ↩ 45

카이는 장로 얀카에게 부탁받은 편지를 에르카에게 건네주었다.

"뭐야, 오랜만에 휴가를 즐겨보려던 참인데 바로 일이 생기다니."

에르카가 쓴웃음을 지었다.

"이동 극장에 있는 무희 비비 씨에게 보내는 편지로군. 그럼 한번 가볼까."

【단서 투에 '에르카의 배달', 지시 번호 투에 39라고 기입】

129 ↩ 85

"카이, 여기야."

두목이 수풀에 몸을 숨기고 가까이 다가와서는 성당 측면의 벽에 찰싹 달라붙었다. 이미 사전 조사를 다녀갔을 때 창문에 손을 봐둔 것 같았다. 스테인드글라스 일부가 쉽게 분리되었다.

"별 것 아니야. 여기를 통해서 언제든 들어갈 수 있어."

카이는 두목 뒤를 따라서 성당 안으로 침입했다. 내부는 넓지만, 기둥이 많은 탓에 의외로 시야가 가려져 숨어가면서 탐색할 수 있을 것 같다.

'이 성당의 어딘가에 휴고의 병을 고칠 수 있는 약이 있을 거야….'

카이는 혼자서 중얼거렸다.

➡ 성당 내부로 들어간다. → 92로

130

촌장의 집은 해안선을 따라 난 길 끝에 있다. 카이가 촌장의 집에 도착했을 때, 마침 촌장은 괭이를 메고 뒤뜰에 있는 밭에서 돌아오던 참이었다.

➡ 촌장과 이야기 한다. → 229로

➡ 단서 **다**가 있는 경우 → 130 + 지시 번호 **다**

127
128
129
130
131
132

131 ↩ 250

카이는 책을 읽고 있었다. 그곳으로 네네가 찾아왔다.

"무서운 꿈을 꿨어…. 바다가 거칠어지고, 동물들이 날뛰고, 마물이 부활하고…, 이 마을은 화염에 휩싸이는 꿈."

"무서운 꿈…, 네네, 마을의 비밀에 관해 알고 있어?"

"몰라."

"그 비밀을 밝히고 신에게 기도하러 가자. 더 이상 악몽을 꾸지 않도록 해달라고 말이야."

【소년의 기록란 28에 '악몽을 꾸지 않도록'이라고 기입】

132 ↩ 234

3층으로 올라간 카이는 무의식적으로 경계 태세를 취했다. 몇 개의 거울의 수직으로 놓여 있었다. 모든 거울이 벽과 각도를 이루고 늘어서 있는 탓에 카이가 움직이면 다양한 방향을 바라본 자신의 모습이 여기저기에 나타났다가 사라졌다. 마치 만화경으로 들어간 것만 같았다.

➡ 오른쪽 그림을 참고해서 탐색하라.

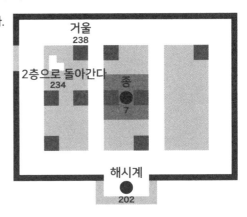

133 ⮌ 86

카이는 소녀를 상처 입히지 않는 궤도로 검을 휘둘렀다. 소녀는 신호를 읽은 것인지 카이의 왼쪽 가슴을 정확하게 찔렀다.

카이가 쓰러지고 관중들의 열광은 정점에 달했다. 소녀는 우승자의 자격으로 보초병을 따라가면서도 마지막까지 걱정되는 듯 카이 쪽을 바라보았다. 카이는 보초병에게 들키지 않도록 소녀에게 엄지손가락을 들어 올려 보였다.

➡ 요새의 잡일꾼에게 옮겨져 탈출한다. → 221로

134 ⮌ 123

카이가 바위 뒤에 숨어있자 화려한 드레스를 입은 소녀가 나타났다. 챙이 넓은 모자에 가려 얼굴은 잘 보이지 않지만, 흔들다리 근처에서 서성이고 있다.

'돈은 꽤 있을 것 같은데…, 저런 곳에서 뭘 하는 걸까?'

카이가 소녀의 모습을 지켜보고 있었지만 얼마의 시간이 지나자 실망한 모습으로 왔던 길을 따라 터벅터벅 내려가 버렸다. 그 후로 한참이 지나도 사람의 모습은 보이지 않았다.

'산적도 꽤나 피곤한 직업이로군….'

135

교회 수녀의 말에 의하면 이 집에 사는 지질학자는 기분파인 데다 다소 예민한 남자라고 했다. 카이는 그런 어른과 상대하는 게 가장 어려웠지만, 용기를 내서 문을 두드렸다.

➡ 지질학자가 나오기를 기다린다. → 4로
➡ 단서 🄽가 있는 경우 → 135 + 지시 번호 🄽

136 ⮌ 205

마을 중앙에서 약간 서쪽으로 치우친 곳에 비교적 보존 상태가 좋은 집이 남아 있다. 문에 열쇠는 잠겨있지 않은 듯했지만, 열리지 않았다. 하지만 카이는 어쩐지 문을 여는 법을 생각해내고, 집 안으로 들어갈 수 있었다. 그곳은 아이의 방처럼 보였다.

책상 위에 일기와 액자가 놓여있다.

➡ 일기를 읽는다. → 242로

➡ 액자를 본다. → 49로

137 ↪ 60

133
134
135
136
137

카이는 묘지에서 발견한 신비로운 팔찌를 찼다. 불끈불끈 힘이 솟아나더니 돌문이 쉽게 열렸다.

'음…? 지금 누가 부른 것 같은데…, 잘못 들은 건가?'

궁전 안은 생각보다 밝았다. 옛 시대에 그려진 주술적 문양이 촛불에 비쳤다. 청자색 비로드 융단이 길게 깔려 있고 그 끝에 대리석 의자가 놓여있다.

의자에는 소머리를 한 반인반수가 앉아있다.

"약해 빠진 기사가 죽으려고 왔구나. 내가 상대할 가치도 없겠어!"

마물이 일어나 천장에 매달린 끈을 잡아당겼다.

"먹이를 주마! 골렘."

마물이 소리치자 발밑의 바닥이 좌우로 열리더니 카이가 그 아래로 떨어졌다. 딱딱한 바닥에 몸을 부딪쳐 카이의 입에서 저도 모르게 앓는 소리가 터져 나왔다. 천장이 닫히면서 마물의 호탕한 웃음이 점점 멀리 들렸다.

떨어진 곳은 어두침침했다. 실눈을 뜨고 보자 방구석에서 무언가가 꿈틀거리고 있다. 거대한 흙인형이었다.

흙인형은 천천히 카이에게로 다가왔다. 움직임은 느리지만 붙잡히면 뼈도 추릴 수 없을 것 같다.

【단서 **머**에 '돌문 개방', 지시 번호 **머**에 23이라고 기입】

➡ 19로

138 ⤴ 205

카이는 다리 교각에 새겨진 수식을 발견했다.

∠ ◇ 二 = 1

'이 다리 아래서…, 낚시를 했던 것 같아.'

【소년의 기록란 24a에 '∠ ◇ 二 = 1'이라고 기입】

➡ 단서 **$** 가 있는 경우 → 138 + 지시 번호 **$**

139 ⤴ 85

카이는 예전에 두목과 함께 왔었던 기억을 떠올리고는 성당 측면에 난 창문을 통해 숨어들었다. 몸을 숨기면서 지하 납골당으로 내려가 관을 열고는 교황의 방으로 들어갔다. 카이는 테이블 안에서 교황의 일기를 발견했다.

'… 이거야.'

금지된 주술의 봉인을 해제한 이야기에 대해 적혀 있었다. 주술은 유배섬에 살고 있는 박사가 발견한 것으로, 모든 기억을 지우는 마법이었다.

'기억을 지운다고…? 주술로 신의 기억을 지운 탓에 이 섬이 신의 가호를 받지 못하게 된 것이 변화의 원인…?'

"이번에는 놓치지 않는다! 이 미꾸라지 같은 놈."

카이는 깜짝 놀라 뒤를 돌아보았다. 교황이다.

【소년의 기록란 20에 '신의 기억이 지워져서 섬에 변화가 일어났다'라고 기입】

➡ 싸운다. → 62로

➡ 체념한다. → 12로

140

산적의 아지트는 깊은 산속의 원시림 가운데에 숨은 듯 자리 잡고 있었다. 카이는 아지트의 가장 안쪽에 있는 두목의 방으로 들어갔다.

➡ 두목과 이야기 한다. → 99로

➡ 단서 **수** 가 있는 경우 → 140 + 지시 번호 **수**

➡ 단서 **저** 가 있는 경우 → 140 + 지시 번호 **저**

➡ 단서 **쿠** 가 있는 경우 → 140 + 지시 번호 **쿠**

141 ↱ 105

"**오**오! 카이, 무사히 돌아왔구나! 마물의 궁전으로 갔다고 해서 정말로 걱정했지 뭔가. 자네가 궁전으로 떠난 직후에 기사님이 마을에 도착했거든. 마침 조금 전에 자네와 엇갈려서 궁전으로 갔다네."

카이는 신성한 도끼를 수장에게 건네고 불쌍한 골렘을 돌봐달라고 부탁했다.

"착한 녀석이에요. 흙이라서 식비도 들지 않을 거예요. 응? 뭐라고? 다리 복구 작업을 돕겠다고? 그거 잘됐다! 네가 있으면 천군만마나 다름없지. 금세 다리를 고칠 수 있겠어. 보세요, 수장님. 녀석도 이렇게 말하는데요…."

수장은 주저했지만 결국 골렘을 맡아주었다.

다음날, 여행을 떠나는 카이에게 수장은 서쪽 지도를 건네며 말했다.

"카이, 자네는 엉뚱한 소년이구먼. 그래도 마음에 들었다. 서쪽으로 간다면 이 지도를 가져가거라. 나는 서쪽으로는 건너가 본 적이 없어서 자세한 장소는 모르지만, 다리를 건너면 금방 서쪽 마을이 보일 걸세."

【단서 **바**에 '다리 복구', 지시 번호 **바**에 21이라고 기입】
【MAP 4를 펼친다.】

142 ↱ 123

카이가 바위 뒤에 숨어있자 용맹한 기사가 나타났다.

투구를 쓰고 검도 지니고 있었다.

'음. 순순히 검을 받을 수는 없을까? 갑자기 검을 내놓으라고 하는 것도 내키지 않는데. 일단 아무 이야기나 해볼까?'

카이는 바위 뒤에서 뛰쳐나왔다.

기사는 한순간 놀란 듯했지만 조금 반갑다는 듯 카이에게 다가왔다. 카이는 기사에게 말을 걸었다.

"저…, 저기…, 어디에서 오셨나요?"

"뭐?"

"오늘 어디에서 오셨나요?"

"아, 그래, 남쪽 변방의 마을에서 왔어, 으흠, 왔다. 자네는 산적인가?"

"아무리 봐도 산적이죠."

"오브에 대해서 아는 것이 없나?"

"오브…? 두목이 말했던 성당의 보물을 말하는 건가요?"

"응! 혹시 빛이 나는 구슬이 아니었어?"

"그러고 보니 그런 말을 했던 것 같기도 하고…."

"성당에 있구나! 고마워! 그럼 안녕."

"아, 아…, 잠시만요. 저…, 검을 주실 수 없을까요?"

"검? 여기 있어."

기사는 카이에게 검을 건네주고는 서둘러 떠나버렸다.

'어떻게 된 일인지 모르겠지만, 결과적으로는 잘됐네. 좋았어, 두목에게 보고하자.'

【단서 수에 '검', 지시 번호 수에 79라고 기입】

◀ 143 ▶ ↪ 232

카이는 분장실로 돌아온 무희들 중에서 얇은 베일을 쓴 소녀를 발견하고는 용기를 내서 말을 걸었다.

"저…, 매우 멋있는 쇼였어요."

베일을 쓴 소녀는 카이의 말을 듣고는 고맙다고 인사했다.

카이는 소녀의 춤을 칭찬했지만, 소녀는 지친 탓인지 넋이 나간 눈빛으로 카이를 바라보았다.

"…, 무슨 일이 있나요?"

"…, 어? 아, 아니, 칭찬해 주니 기분이 좋네요. 당신은 여행 중인 건가요?"

"네. 성당에 가고 싶은데 허가증을 갖고 있지 않아서 들어갈 수가 없네요."

"성당은 기사단의 본거지예요. 저, 지인 중에 기사가 있는데 그 사람에게 부탁하면 성당으로 들어갈 수 있지 않을까요? 시몬이라고 하는 사람이에요. 기사의 관사에 돌아왔다면 좋겠는데…."

소녀는 카이에게 관사의 위치를 알려주었다. 마침 그때, 단장과 동료 무희들이 와서 소녀를 분장실로 데려가고 말았다.

【MAP 4의 '기사의 관사'에 170이라고 기입】

144 ↱ 85

성당에 들어가려고 하자 근위병은 창을 들고 카이 앞을 막아섰다.
"기…, 기도를 드리러 온 것뿐인데요…."
"예배 허가증을 가지고 있지 않은 자는 들어갈 수 없다."
"하지만 병이 들어 고통받는 사람이 있어요. 약을 주실 수 없나요?"
"…, 허가증은 50,000릴이다."
근위병은 표정 하나 바뀌지 않고 말했다. 카이는 성당에 들어가기를 포기할 수밖에 없었다.

143
144
145
146
147

145

예배당 옆으로 난 오솔길을 따라 북쪽으로 걷다 숲을 빠져나가면 바닷가 초원에 묘지가 있었다. 가장 멋들어진 묘에는 기사의 문장이 새겨져 있다.

➡ 기사의 묘를 본다. → 69로
➡ 단서 **리**가 있는 경우 → 145 + 지시 번호 **리**

146 ↱ 92

카이는 기둥을 바라보았다. 기둥에는 포근한 눈빛의 성모가 새겨져 있다.

【소년의 기록란 16g에 '기둥G 성모'라고 기입】

147 ↱ 210

문을 노크하자 중년의 여성이 모습을 드러냈다.
"미트라 씨인가요? 저…, 따님은 계신가요?"
"딸은 여행을 떠나서 언제 돌아올지…."
"그렇군요. 실은 이것을 야코피 씨에게서 맡아 두었거든요. 따님에게 전해주면 좋겠다고…."
카이는 맡아 두었던 작은 상자를 건넸다.
"이건…, 분명 남편이 갖고 있던 거예요! 남편은 무사한가요?"

"네. 감옥 요새에 갇혀 있긴 하지만…, 매우 중요한 사실을 저에게 알려 주었어요."

미트라는 작은 상자를 꼭 쥔 채, 멀어지는 카이에게 몇 번이고 인사를 했다.

【단서 ☆에 '맡아 둔 상자', 지시 번호 ☆에 67이라고 기입】

◀ 148 ▶ ↱ 130

카이는 촌장에게 검문소 봉쇄를 풀고 북쪽으로 가겠다고 말했다.

"북쪽 어촌의 수장은 내 동생이라네. 옛날부터 걱정이 많은 아이였지. 이번에 검문소를 봉쇄한 것도 무슨 이유가 있었을 거야. 만나게 되면 안부 전해주게. 응? 그 가방 사이로 보이는 구슬은…, 아니, 아무것도 아닐세. 무사히 고향으로 돌아갈 수 있길 빌어 주겠네. 조심해서 가야 하네."

◀ 149 ▶ ↱ 92

카이는 제단 옆으로 난 계단을 통해 지하로 내려갔다. 지하는 좁은 납골당으로 만들어져 있고 단 하나의 관이 놓여 있다.

"수상한데. 열어볼까?"

두목은 주저하지 않고 관을 열었다. 안은 비어 있지만 관 바닥에 문이 달려 있고, 문고리에는 세 자릿수 숫자로 열 수 있는 자물쇠가 걸려 있다. 바닥 표면에는 별 모양 문장이 그려져 있다. (다음 페이지 참고)

➡ 수수께끼를 풀어서 나타나는 숫자에 해당하는 단락으로

별 모양의 문장

□에는 1~9의 숫자가 하나씩 들어간다.
화살표 끝에 있는 숫자는
각 화살표를 지나는 숫자의 합계이다.

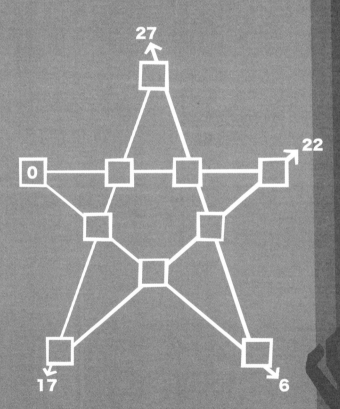

별은 악마, 교황, 해골로 열린다.

◀ 150 ▶

옆은 회색 바위산 안쪽에 광활한 사막이 끝없이 펼쳐져 있다. 모래는 발밑을 끌어당겨 카이의 체력을 빼앗아 갔다. 카이는 지도에 의지해서 사막 서쪽으로 빠져나가 오아시스의 동굴에 도착했다. 사막은 해변 모래사장으로 이어져 있고, 그 남쪽에는 울퉁불퉁한 바위가 펼쳐져 있다. 동굴은 바닷가 바위 사이에 우두 커니 입을 벌리고 서 있다.

'여기에 생명수가 있을 거야.'

➡ 입구로 들어간다. → 33으로

➡ 단서 **ㅋ**가 있는 경우 → 150 + 지시 번호 **ㅋ**

◀ 151 ▶ ↪ 63

"그렇지! 아까 어떤 누나가 알려준 노래를 불러 줄게. 용감한 기사의 노래야!"
아이는 스스로 손뼉을 치며 노래를 불렀다.

마물과 싸우는 용감한 기사
그 이름은 엔데, 강철의 기사
엔데의 팔에는 빨간 팔찌
힘이 넘쳐 흐르는 신기한 팔찌
죽어서도 빼지 않은 그 팔찌

'기사의 노래라기보다 팔찌의 노래 같은데. 죽어서도 빼지 않았다면 묘지에 묻혀 있는 건가?'

【단서 **ㄹ**에 '팔찌의 노래', 지시 번호 **ㄹ**에 41이라고 기입】

◀ 152 ▶ ↪ 26

카이는 의무실에 있는 남자의 모습을 살폈다.
"아야야…, 정말 무지막지한 여자야. 제길. 죽을 뻔했다고."

◀ 153 ▶ ↪ 80

"할아버지, 아까 안식의 탑에 갔다 왔어요. 그랬더니 이 바닥과 같은 모양의 방이…."

"이 바닥과 같은 모양? 그렇단 말이지?"

노인은 가만히 하늘을 응시하며 무언가를 떠올리려는 것 같았다.

"…어어어, 그래, 그렇지. 젊었을 때, 그 탑에 올라갔는데 그 바닥 모양이 마음에 들어서 이 오두막도 같은 모양으로 색칠한 거야. 이야~, 까맣게 잊고 있었구면."

"2층으로 올라가는 계단이 없던데요…?"

"그 방에는 비밀이 있지. 방 안 네 구석에 물건을 두고…, 그래 이게 딱 좋겠군."

노인은 책꽂이에 놓여 있던 네 개의 짐승 장식품을 카이에게 건넸다.

"그리고 이게 필요할 걸세. 천칭이라네."

"천칭을 어디에 쓰는 건가요?"

"그건 잊어버렸어. 아무튼 필요할 거야. 별의 무게는 15라네."

"네?"

'응? 무슨 뜻이었을까. 별의 무게는 15…, 으음….'

【단서 십에 '짐승 장식품', 지시 번호 십에 29라고 기입】
【소년의 기록란 2에 '별의 무게는 15'라고 기입】

154 ↪ 123

카이가 바위 뒤에 숨어있자 요염한 의상을 입은 소녀가 나타났다. 보랏빛 베일에 가려져 얼굴은 잘 보이지 않았지만, 다리 근처에서 서성이고 있다.

'이런 곳에서 저런 옷을 입고 있다니…, 뭘 하는 걸까?'

카이는 그 모습을 지켜보고 있었지만, 얼마의 시간이 지나자 실망한 모습으로 왔던 길을 따라 터벅터벅 내려가 버렸다. 그 후로 한참이 지나도 사람의 모습은 보이지 않았다.

'산적도 꽤나 피곤한 직업이로군….'

155

완만하게 펼쳐진 산길을 따라 카이는 산의
정상에 있는 사당에 도착했다. 카이가 사당에
들어서자 휴고가 말한 대로 긴 수염을 늘어뜨
린 신선이 눈을 감고 앉아 있었다. 손 하나 꿈
쩍하지 않아 마치 잠들어 있는 것 같다.

➡ 신선에게 말을 건다. → 163으로
➡ 단서 **코**가 있는 경우 → 155 + 지시 번호 **코**
➡ 단서 **쿠**가 있는 경우 → 155 + 지시 번호 **쿠**

156 ↪ 180

주민들은 감옥 요새에 대해서 알려 주었다.

"그곳은 꺼림칙한 곳이라서 가까이 가지 않아. 사소한 일이라도 죄인끼리 옥
상 결투장에서 겨루게 하는 시합이 열리거든. 우승자는 석방된다고 하지. 말도
안 되는 일이지 뭐야."

157 ↪ 109

카이와 네네는 비밀을 풀었다. 멸망한 마을을 빠져나와 해저 동굴을 지나고
사막을 건너 이윽고 신과 가장 가까운 장소에 도착했다.

그곳은 수풀 언덕 근처의 작은 사당이었다.

어렸을 적, 두 사람은 이 사당에 도착하기 직전에 박사에게 기억을 빼앗기고
말았던 것이었다.

카이와 네네는 사당에 모셔져 있는 비석을 올려 보았다.

"이곳이 마지막 장소야."

"신과 가장 가까운 장소."

네네가 가진 빛의 지팡이와 4개의 오브가 반짝이자 비석 문자가 드러났다. 카
이와 네네는 입을 맞추어 그 문장을 읽었다.

"이 세상은 항상 붉은 어둠에 휩싸여 있다. 신이 문자를 좇을 때, 그 세상에는
빛이 비치리라."

158 ↩ 92

카이는 기둥을 바라보았다. 기둥에는 땅 위로 강림한 천사가 새겨져 있다.

【소년의 기록란 16b에 '기둥B 천사'라고 기입】

159 ↩ 100

카이는 성당에서 구한 특효약을 휴고에게 먹여 주었다. 휴고의 혈색이 점점 좋아지더니 눈 깜짝할 새에 완전히 회복되었다.

"…카이, 진심으로 고맙다는 말을 하고 싶군. 정말 고마워. 금방 배를 띄울 테니 타고 가도록 해. 너는 특등석이다!"

【단서 **이**에 '회복한 선장', 지시 번호 **이**에 94라고 기입】

➡ 배를 탄다. → 166으로

160

북쪽 어촌에서 출발해 서쪽으로 초원을 빠져나가면 커다란 나무 다리가 보인다. 서쌍둥이 섬과 연결되어 있는 유일한 다리로, 붉은 아치가 바다의 푸른빛과 대조를 이루어 아름답다.

➡ 다리 근처까지 가본다. → 78로

➡ 단서 **바**가 있는 경우 → 160 + 지시 번호 **바**

161 ↩ 105

"오오, 카이. 왔는가."

수장은 편지를 쓰면서 카이에게 인사했다. 비둘기에 쪽지를 매달아 검문소의 문지기와 편지를 주고받는다고 한다.

"이렇게 오늘 마을에서 무슨 일이 있었는지 알려주는 거지. 자, 힘들었지? 이제 쉬도록 해."

다음 날 아침, 카이는 기사의 갑옷을 입고 마을을 가보기로 했다.

"흠…, 마을에 있는 예배당에는 다녀왔는가? 아직 안 갔다면 예배당에서 무사히 여행을 마칠 수 있도록 기도를 드리게나."

【MAP 3의 '예배당'에 190이라고 기입】

155
156
157
158
159
160
161

162 ↱ 80

카이! 네가 해냈구나! 종소리가 들렸단다!"

노인은 주름진 얼굴로 함박웃음을 짓고는 카이의 어깨를 두드렸다.

"할아버지가 주신 장식품과 천칭이 쓸모 있었어요."

"그것참 다행이구나! 그런데 말이지…, 그렇게 얌전하던 짐승들이 왜 갑자기 흉폭해졌을까…."

163 ↱ 155

감옥 요새에 들어가고 싶은 게로구나?"

신선은 카이를 거들떠보지도 않은 채 말했다.

"어떻게 그것을…?"

"호수쪽으로 빠져나가는 길을 알려주마. 우선 산속 마을로 가는 게 좋겠다…."

"길은 그곳 말고도 있나요?"

"음. 하지만 아직 그대에게는 알려줄 수가 없다. 이 섬의 변화를 조사하던 남자를 만나는 게 좋겠구나. 감옥 요새에 갇혀 있을 게다."

【MAP 5의 '산속 마을'에 180, '장로의 집'에 10이라고 기입】

164 ↱ 61

Y자로 나뉜 통로에서 오른쪽으로 가니 2m 정도의 네모난 방이 나타났다. 벽은 동굴의 다른 부분과 달리 매끈매끈하게 다듬어져 있고 정면 벽에는 조각이 새겨져 있다. 샘의 정령 그림일까?

제단 위에 놓인 그릇에는 붉은색, 푸른색, 녹색의 보석 3개가 들어 있었다.

'이 붉은 보석은 루비인데. 게다가 사파이어에…, 이건 에메랄드…, 엄청나군.'

카이는 손에 쥔 보석을 다양한 각도로 바라보면서 영롱한 빛을 즐겼다. 그리고 또 한 번 조각을 바라보자 바로 옆에 9칸의 오목한 퍼즐과 작은 문자가 새겨져 있는 게 보였다. (다음 페이지 참고)

➡ 수수께끼를 풀어서 나타나는 숫자에 해당하는 단락으로

3개의 보석을 끼워 넣으라

루비는 왼쪽, 사파이어는 가운데, 에메랄드는 오른쪽.
사파이어는 루비보다 위에 있다.
사파이어와 에메랄드는 같은 행에 들어가지 않는다.
루비, 사파이어, 에메랄드 순으로 숫자를 외치라.

3	4	9
2	5	8
1	6	7

165

카이는 폐허라고도 할 수 있는 낡은 오두막으로 다가갔다. 오두막은 세찬 광풍에 날아가지 못하도록 필사적으로 버티고 있는 것처럼 보였다.

➡ 비밀의 오두막으로 들어간다. → 9로

166 ⤶ 159

휴고의 배는 육지를 따라 서쪽으로 순항했다. 풍랑 탓에 파도는 높다.

카이는 서쪽 정글 안으로 보이는 요새를 바라보았다.

'감옥 요새에 붙잡힌 남자의 이야기를 들으면 이 풍랑을 잠재울 방법을 알 수 있을까…?'

카이는 침대에 드러누워 저도 모르게 잠들어 버렸다. 눈을 뜨니 마침 배가 서쪽 선착장에 들어서고 있었다. 채비를 갖추고 밖으로 나오자 선장모를 쓴 휴고가 카이를 불러 세웠다.

"카이, 이 지도를 가지고 가. 여기가 감옥 요새다. 소문으로는 붙잡힌 자나 저주받은 자만 들어갈 수 있다고 하지. 그리고 이 산의 정상에는 신선이 살고 있다더군."

카이는 휴고에게 인사를 하고 배에서 내렸다.

【MAP 5를 펼친다.】

【MAP 5의 '감옥 요새'에 55, '산정상 사당'에 155라고 기입】

【소년의 기록란 18에 '감옥 요새에는 저주받은 자만 들어갈 수 있다'라고 기입】

167 ⤶ 110

카이는 메마른 물병에 바닷물을 부었다. 물병은 꿀꺽꿀꺽 소리를 내며 바닷물을 흡수하더니 순식간에 동굴의 물이 모두 말라버렸다.

카이는 마른 동굴 안으로 발걸음을 내디뎠다. 동굴은 깊고 길게 동쪽으로 뻗어 있다.

'어라? 여기는…?'

카이는 익숙한 장소에 도착했다.

【단서 하에 '말라버린 동굴', 지시 번호 하에 66이라고 기입】

➡ 동굴 안쪽으로 들어간다. → 216으로

168 ↱ 149

열렸다!"

자물쇠를 풀고 관 바닥에 설치된 문을 열자 아래로 이어진 비밀 계단이 모습을 드러냈다.

"건방진 녀석들!"

카이와 두목은 깜짝 놀라 뒤를 돌아봤다. 하얀 망토를 두른 키 큰 남자가 서 있었다. 교황이다.

"오브를 훔치러 온 건가? 쥐새끼 같은 녀석들."

"카이, 조심해. 이 남자는 교황이기도 하지만 기사단의 총장이야. 검술이 아주 뛰어나지."

두목은 그렇게 말하고는 단검을 뽑아 들고 포효하며 교황에게 달려들었다. 교황은 망토 안에서 날렵하게 검을 뽑고는 두목의 단검을 저지했다. 차가운 표정으로 쉬지 않고 강인한 대검을 휘둘렀다.

두목도 물 흐르는 듯한 몸놀림으로 춤을 추듯 단검을 다루었다. 하지만 체구가 작은 두목은 점점 궁지로 몰리더니 이내 벽에 등이 닿고 말았다.

"…회개하거라."

그렇게 말한 교황은 두목의 왼쪽 어깨를 날카롭게 베었다.

➡ **싸움에 가담한다.** → 235로

➡ **도망친다.** → 29로

169 ↱ 66

"대체 누가 이런 짓을…."

"로즈레이 기사단의 교황이라네. 이 마을에는 신과 가장 가까운 장소에 대한 비밀이 감춰져 있었는데, 비밀을 지키려던 마을 사람들은 기사단에게 모두 살해되고 말았지. 모든 것이 파괴되고 불에 타버렸어. 이제, 신과 가장 가까운 장소에는 영원히 못 가게 되어버렸군…."

"말도 안 돼…."

"그나저나, 해저 동굴에는 가 보았는가?"

"아니요. 어디에 있나요?"

"이 마을에서 북동쪽으로 가면 있다네. 한 번 가보면 좋을 거야."

"남서쪽으로는 섬이 있네요?"

"그건 유배섬이라고 해서 죄인을 가둬 두는 섬이지. 감옥 요새가 생기기 전까지는 죄를 지으면 유배섬으로 보내고는 했다네. 지금은 아무도 없을 걸세. 그 섬 맞은편 언덕에 있는 것이 인도의 사당이야."

【MAP 5의 '해저 동굴'에 110, MAP 6의 '인도의 사당'에 5라고 기입】

170

이동 극장의 천막에서 서쪽으로 가면 넓은 밭이 이어져 있고 멀찍이 주변을 벽으로 둘러싼 관사가 보인다.

양쪽 탑에 있는 문을 지나면 관사 이외에도 곡식 창고와 비둘기장, 과수원과 텃밭 등이 있다. 기사들은 평소에는 농사를 짓는 것인지 몇 명의 청년이 농부의 모습으로 작업하고 있다.

➡ 기사 시몬을 찾는다. → 36으로

171 ↪ 115

카이는 문을 지나 여관으로 들어갔다. 그러자 여관 주인이 허둥지둥 나와서 말했다.

"죄송하지만 오늘은 객실이 모두 찼어요. 우리 딸이 술집에서 곤경에 처했을 때 도와준 사람이 있거든요. 그분이 묵게 되었어요…."

172 ↪ 140

두목은 방에서 단검 손질을 하고 있다. 카이가 들어서자 조금 놀란 듯한 표정으로 말했다.

"카이 아니야. 무슨 일이지?"

두목의 왼손에는 기괴한 모양의 반지가 불쾌한 빛을 뿜어내고 있다.

그 반지는 광부가 그려준 반지와 닮아 있었다.

"그 반지는 예전에 기사에게 받은 반지가 아닌가요?"

"…맞아. 저주받은 반지지."

"…그래서 기사를 노리고 습격하는 건가요?"

"후후후…, 나는 그 녀석에게 속았어. 예전에는 어리석었지…. 이 반지를 뺄 수 있는 건 반지를 낀 사람이 사랑하는 사람이거나 저주를 받고 싶은 사람뿐이거든. 나는 이제 그 누구도 사랑하지 않는 데다, 저주가 필요한 사람 따위 있을 리 없잖아."

➡ 위로한다. → 224로

➡ 저주를 받는다. → 84로

173 ↪ 205

카이는 우물 두레박 바닥에 새겨진 수식을 발견했다.

$$\diagdown \diamond \times = 2$$

'나는 이 두레박으로 물을 길은 적이 있어….'

【소년의 기록란 24e에 '$\diagdown \diamond \times = 2$'라고 기입】

174 ↪ 30

"가장 오래된 기억은…, 안경을 낀 남자와 함께 배를 탄 기억이에요."

"…그 남자는 자네의 아버지인가?"

"아니요, 모르는 사람입니다. 저는 고아라서 친부모님을 몰라요. 그 남자는 무표정한 얼굴로 바다를 보고 있고…, 얼굴을 떠올리려고 하면 불쾌한 기분이 들어요."

"…그다지 좋은 기억은 아닌 듯싶구나. 분명 좋은 기억도 어떤 계기로 인해 생각날 게다. 지금은 잠시 잊고 있을 뿐이야…."

175

마을 한가운데에 위치한 우물은 마을 사람들에게는 교류의 장이기도 하다. 카이가 우물 광장을 찾아갔을 때는 젊은 여성들이 서서 이야기를 나누고 있었다. 모두 마물을 두려워하고 불안을 느끼고 있는 듯했다.

➡ 단서 **디**가 있는 경우 → 175 + 지시 번호 **디**

"**너**희들…?, 지금 너희들을 상대로 실험을 했다고 한 거야?"

"그래. 그렇다. 다른 한 녀석은 절벽에서 떨어져 버렸지. 그 뒤로 그 녀석이 어떻게 됐는지는 모른다."

"기억을 빼앗았다니…, 지운 게 아닌 거야?"

"머리가 없는 저장 장치에 남아 있다. 실패작인 저장 장치…, 하하하. 텅 빈 것으로 만들 생각이었는데. 초콜릿이었어. 기억도, 아무런 감정도 느낄 리 없는데 초콜릿을 주니 웃더라고. 실패작인 거지…."

"…그 장치는 어디에 있지?"

"글쎄…, 너희들의 기억을 빼앗은 장소에 있는 거 아닐까? 수풀 언덕이다."

【MAP 2의 '수풀 언덕'에 185라고 기입】

카이는 조심조심 숲속으로 발걸음을 옮겼다. 긴장감이 감돌던 분위기는 사라져 있다. 짐승들의 포효도 더는 들리지 않는다. 새들의 지저귐이 카이의 긴장된 마음을 녹여 주었다.

'동물들이 조용해졌어!'

안전을 확인한 카이는 숲속으로 들어갔다.

'이대로 북쪽으로 가서 숲을 빠져나가고 싶은데 이다음 지도가 없네. 할 수 없군. 일단 서쪽으로 가보자.'

카이는 하늘을 올려보고는 구름 낀 하늘로 희미하게 보이는 태양의 위치에 의지해 서쪽으로 향했다.

숲을 빠져나가자 초원이 펼쳐져 있었다. 오른쪽으로는 깎아지른 듯 험난한 산이 우뚝 솟아있다. 바람은 세차게 불고 어둑한 구름이 카이의 머리 위를 스쳐 지났다.

"까마득한 절벽이군."

【MAP 1의 '절벽'에 20이라고 기입】

◀178▶ ↱ 49

'**여**…, 여기는 내 방이야…!'

카이는 스스로도 무슨 말을 하고 있는지 영문을 알 수 없었다. 하지만 이곳은 틀림없이 자신이 어린 시절을 보낸 방이었다. 일기는 자신의 글씨로, 기호를 만든 것도 사진을 찍어서 액자에 넣은 것도 모두 자신이 한 일이었다. 카이는 이 마을에서 태어나고 자란 것이다.

카이는 어린 시절의 일을 기억하지 못하는 게 아니라 누군가에 의해 기억이 지워졌다는 사실을 직감했다.

'내 기억도 지워졌어…. 혹시 내 기억이 완전히 돌아온다면 마을에 숨겨져 있는 신의 비밀을 기억해낼 수 있을지도 몰라. 내가 이 마을의 유일한 생존자야! 금지된 주술을 만든 사람을 찾아서 기억을 되살려낼 방법을 물어봐야 해!'

【단서 **푸**에 '카이의 기억', 지시 번호 **푸**에 192라고 기입】
【소년의 기록란 25에 '완전한 기억을 되찾아 신과 가장 가까운 장소를 생각해 낸다'라고 기입】

◀179▶ ↱ 236

카이는 수리한 해시계를 물끄러미 바라보았다. 그림자가 천천히 5시의 눈금을 향해 움직이고 있다.

'좋았어, 바로 지금이야!'

카이는 밧줄을 세게 당겨 안식의 종을 울렸다.

가벼운 음색이 저녁노을이 내려앉은 섬에 울려 퍼졌다. 카이는 몇 번쯤 종을 울리고는 그 여운을 마시려는 듯 깊은 숨을 들이마셨다.

'아아…, 황홀한 음색. 분명 프러포즈도 성공했을 거야!'

【단서 **거**에 '5시의 종', 지시 번호 **거**에 26이라고 기입】

◀ **180** ▶

굽이진 산길을 따라 한참을 걸으니 나무 사이로 사람의 마을이 내려다 보인다. 주민들은 밭을 갈고 논에서는 물소를 끌고 있다. 카이는 산속 마을에 도착했다.

➡ 주민에게 이 주변에 대해서 물어본다. → 97로
➡ 감옥 요새에 대해서 물어본다. → 156으로
➡ 단서 **카**가 있는 경우 → 180 + 지시 번호 **카**

◀ **181** ▶ ↩ 160

다리는 골렘의 움직임을 따라 빠른 속도로 복구되고 있었다. 함께 일하는 목수들도 도움을 받고 있는 듯했다.

"네가 도끼도 찾아와주고 이 녀석을 데려온 카이구나. 이제 임시 조립이 끝났으니 건너가도 괜찮다."

카이는 인사를 하고는 다리를 건너 서쌍둥이 섬에 당도했다.

초원을 걸으며 먼 산을 바라본다. 남서쪽에는 높은 산맥이 뻗어 있고 조금 더 높아 보이는 산 정상에는 멋들어진 건축물이 세워져 있다. 한참을 걷다 보니 저 멀리서 마을이 보이기 시작했다.

【MAP 4의 '서쪽 마을'에 200, '선착장'에 100, '암시장'에 15라고 기입】

◀ **182** ▶ ↩ 8

카이는 벽 반대편의 반응을 기다렸다. 하지만 오른쪽 감옥방에는 아무도 없는 것 같았다. 지금 가진 정보만으로는 철창의 수수께끼를 풀지 못할 것 같았다.

'누구든 감옥방에 들어와야 할 텐데…'

◀ **183** ▶ ↩ 95

좁은 오솔길을 따라 숲으로 들어서자 금세 맹수의 낮은 포효가 카이의 명치를 두드렸다. 포효가 들린 쪽을 바라보자 우거진 수풀이 바스락바스락 소리를 내며 크게 흔들리더니 거대한 호랑이가 낮은 자세로 나타났다.

➡ 돌을 주워서 던진다. → 18로
➡ 도망친다. → 98로

184 ↪ 243

책꽂이에는 마도서와 주술이 적힌 책들이 꽂혀 있다. 『흙인형의 언어』라는 책을 발견하고 뽑아 들자, 책 사이에서 종잇조각 한 장이 팔랑팔랑 떨어졌다.

종잇조각에는 다음과 같이 적혀 있었다.

ㄱㄱㄷㅅㅇ / ㄹㄱㅇㄴㄴ

【소년의 기록란 10a에 'ㄱㄱㄷㅅㅇ / ㄹㄱㅇㄴㄴ'이라고 기입】

185

카이는 구불구불 굽이진 오솔길을 올랐다. 이곳에서 자신의 기억이 지워졌다. 분노와 무서운 기억이 되살아날 것만 같은 기분이 한데 뒤섞여 카이는 몸이 떨렸다. 여러 종류의 식물이 우거져 시야를 방해한 탓에 낮임에도 어둑어둑하다.

앞에 있는 수풀이 바스락바스락 소리를 내며 흔들렸다. 그대로 움직이지 않은 채 가만히 소리가 들리는 쪽을 바라보고 있자니 머리가 없는 괴물이 나타났다. 목 위로는 아무것도 없고 눈은 가슴에, 코는 명치에, 입은 배에 붙어 있다.

'저것이 박사가 만든 저장 장치…?'

카이가 중얼거렸다. 괴물은 카이를 발견하고는 겁먹은 표정을 지었다.

"기다려. 도망치지 마. 네가 내 기억을 갖고 있지? 그 기억을 돌려줘."

"기…억…, 없어지면 죽게 돼…."

➡ 단서 **파**가 있는 경우 → 185 + 지시 번호 **파**

186 ↪ 145

'**그**러고 보니 그 아이가 불렀던…, '죽어서도 빼지 않은 그 팔찌'라니…, 정말 죽을 때까지 팔찌를 차고 있었던 걸까?'

카이는 무의식중에 팔찌의 노래를 부르고 있었다. 노래가 끝나자 묘지 뒤쪽에 누군가 서 있는 것을 발견하고는 머리가 쭈뼛 섰다. 자신과 똑같은 갑옷을 입은 기사인데 어딘가 수상쩍어 보였다. 젊은데도 안색이나 눈빛이나 머리카락까지 창백하고 초점은 카이를 지나 먼 곳을 보고 있는 듯했다.

"이 팔찌를 가져가시오…."

기사는 이 말을 남기고 타는 듯이 빨간 팔찌를 건넸다.

180
181
182
183
184
185
186

카이는 너무 놀란 나머지 아무런 말도 하지 못하고 토끼 눈을 한 채 받아 든 팔찌를 바라보았다.

문득 정신을 차리고 고개를 들었을 때는 이미 기사의 모습이 사라진 뒤였다.

카이는 반신반의의 심정으로 팔찌를 차 보았다. 시험 삼아 발밑에 놓인 커다란 바위를 들어 올리자 아주 가볍게 느껴졌다.

【단서 **마** 에 '괴력의 팔찌', 지시 번호 **마** 에 77이라고 기입】

187 ↪ 39

카이는 탁자 아래 떨어져 있던 종이에 적힌 표를 보았다.

➡ 수수께끼를 풀어서 나타나는 숫자에 해당하는 단락으로

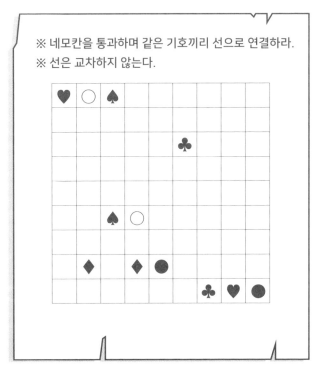

※ 네모칸을 통과하며 같은 기호끼리 선으로 연결하라.
※ 선은 교차하지 않는다.

188 ↪ 127

"어린 자여…, 샘물을…, 뜨라…."

정령은 그 말을 남기고는 모습을 감추었다. 카이는 생명수를 물통에 가득 담았다. 그러자 정령의 목소리만 들려오기 시작했다.

"저주받을 때는…, 이곳으로 오라…."

'저주받을 때? 무슨 말이지…?'

카이는 이상하게 생각하면서도 동굴 입구로 돌아가기로 했다.

➡ 동굴을 빠져나온다. → 31로

187
188
189
190

189 ↪ 140

카이는 두목에게 반지 뒤에 새겨진 각인을 보여주었다. 두목은 각인된 문자를 보고는 꼼짝도 하지 않았다.

"속이려는 사람이 반지 뒤에 두 사람의 이름을 새길까요? 분명 엔데는 저주의 반지라는 걸 모르고…."

"…, …, 카이…, 너에게 빚을 지고 말았네."

"아닙니다, 함께 성당으로 숨어 들어준 빚을 갚은 것뿐이에요."

두목은 웃었다.

"…이제 산적 짓도 그만둬야겠어. 진심이야."

카이는 반지를 두고 힐다의 방을 나섰다.

【단서 🔑에 '엔데의 추억', 지시 번호 🔑에 81이라고 기입】

190

예배당은 어촌에서 조금 떨어진 언덕 기슭에 있다. 카이는 기사로 변장한 채 조용한 예배당 안으로 들어갔다. 수녀가 신에게 기도를 하고 있다.

➡ 수녀에게 말을 건다. → 108로

➡ 아름다운 스테인드글라스를 바라본다. → 67로

구석진 테이블에 앉아 있는 남성은 가방 장수처럼 보였다. 장사가 마음대로 되지 않아 술집에서 시간을 보내고 있는 것인가? 카이가 남성에게 말을 걸었지만, 남성은 흐릿한 눈빛으로 멍하게 앉아 있다.

"…응? 어어, 미안 미안. 아니, 조금 전에 들린 종소리를 떠올리고 있었어. 마음이 정화되는 것 같아…. 처음 들었는데도 감동했다고. 뭐? 종을 울린 게 당신이라고? 대단한데!"

남성은 흥분해서 종소리를 들려준 보답으로 술을 대접하려고 했지만, 카이는 거절했다.

"당신, 보기와는 다르게 행동파이구나…, 그렇지! 부탁이 하나 있는데 들어줄 수 있을까? 실은 오늘 저녁에 프러포즈를 할 생각이야! 그 타이밍에 맞춰서 다시 한번 종을 울려줄 수 있겠어? 괜찮은 생각이지? 분명 프러포즈를 받아 줄 거라고."

➡ 승낙한다. → 207로
➡ 거절한다. → 111로

흔들다리는 낡은데다 발판도 삐걱거렸지만, 구조는 튼튼해 보여서 무너질 것처럼 보이지는 않았다.

카이가 다리를 건너려고 하자 갑자기 말을 탄 산적들이 바위 뒤에서 나타났다. 산적들은 카이를 에워싸고 반달검을 뽑아 들고는 외쳤다.

"꼬맹이! 돈 되는 물건을 두고 가! 순순히 따르지 않으면 목숨은 없는 줄 알아!"

➡ 필사적으로 도망친다. → 114로
➡ 단서 **사**가 있는 경우 → 192 + 지시 번호 **사**

카이는 네네와 숨바꼭질을 하며 기념비 뒤로 숨었다. 네네는 두리번두리번 주변을 살피더니 어디론가 가버리고 말았다. 카이는 불안해져 네네를 뒤따랐다.

194 ↩ 40

카이는 갑판에 뚫린 구멍을 수리하던 청년에게 말을 걸었다.

"이곳에서 배가 뜨나요?"

"벌써 며칠째 배가 뜨지 못하고 있어. 이 풍랑에 배를 띄우는 건 힘들지 않겠어? 기껏해야 근처에서 고기를 잡는 정도라고."

청년의 말투는 배를 띄우지 못해 화가 나 있는 것 같았다.

"혹시 배가 뜨는 곳을 알고 계신가요?"

"풍랑이 쌍둥이 섬을 에워싸고 빙글빙글 돌고 있다고 하잖아. 이 상태로는 실력 좋은 선장, 휴고라도 힘들 거야."

"휴고?"

"그래, 북쪽 어촌에 사는 선장이지. 지금은 서쪽 마을에 있다고 하더군. 서쪽 마을로 가려면 우선 북쪽 검문소를 지나서 다리를 건너야 해."

195

교회는 나지막한 언덕 중간쯤에 세워져 있다. 언덕 뒤로는 곧장 바다로 이어지기 때문에 이따금 파도소리가 들려온다.

교회는 텅 비어 있으며, 목에 묵주를 건 경건한 수녀 한 명이 신에게 기도를 하고 있다.

➡ 수녀에게 말을 건다. → 244로

196 ↩ 180

주민들의 대화가 소란스럽다. 카이는 그 이야기를 들어보기로 했다.

"깜짝 놀랐지 뭔가! 북동쪽에 있는 바위산에 터널이 뚫려 있었어. 구슬 같은 걸 갖다 대고는 바위산을 무너뜨리는 소녀를 봤다는 사람도 있지 않은가! 터널 끝에는 넓은 초원이 펼쳐져 있고 거대한 돌이 원을 그리듯이 늘어서 있지 뭐야! 필시 이 주변의 새로운 명소가 될 걸세!"

【MAP 5의 '원형 거석'에 45라고 기입】

191
192
193
194
195
196

197 ⮕ 99

"**백**, 구, 십, 칠. 백구십칠, 맞죠?"

"오호, 제법이군."

"저…, 성당을 습격한다는 게 사실인가요?"

"맞아. 기사단 본거지로 쓰이는 성당을 습격해서 보물을 빼앗아 올 거야. 거기에 빛이 나는 구슬이 있거든."

'빛이 나는 구슬….'

"그럼 두 번째 시험이다. 지금부터 흔들다리로 가서 기사에게 검을 빼앗아 오도록 해. 그 시험까지 통과한다면 동료로 인정해 주마."

두목은 카이에게 산적의 복장과 두건을 건넸다.

【단서 **서**에 '산적 시험', 지시 번호 **서**에 53이라 기입】

【소년의 기록란 15에 '흔들다리에서 기사의 검을 빼앗아 온다'라고 기입】

198 ⮕ 205

카이는 언덕 정상에 있는 바위에 새겨진 수식을 발견했다.

$$\searrow ♩ \times = 9$$

'이 바위를 만져본 감각이 아직 남아있는 것 같아….'

【소년의 기록란 24d에 '$\searrow ♩ \times = 9$'라고 기입】

199 ⮕ 19

카이는 흙인형 골렘에게 살금살금 다가갔다. 이상하게도 충분히 공격할 수 있는 거리까지 다가가도 골렘은 멍한 표정으로 천천히 좌우로 몸을 흔들 뿐이었다.

"어?"

"…여우아이으…, 우우이으…, 아아으…."

골렘은 무슨 말을 하고 있는 것 같았다. 카이에게 전하려는 게 있는 것처럼 같은 말을 반복적으로 했다.

"…여우아이으…, 우우이으…, 아아으…."

➡ 수수께끼를 풀어서 나타나는 숫자에 해당하는 단락으로

200

서쪽 마을의 광장에는 마을 소녀 무리들이 모여 떠들고 있다.

➡ 마을 소녀들의 이야기를 듣는다. → 118로
➡ 단서 **버**가 있는 경우 → 200 + 지시 번호 **버**

201 ↪ 9

"**당**신이 주술을 만들어서 내 기억을 지우고 다른 나라로 납치했어…."
"어이, 왔는가? 먼 길 오느라 수고했군. 편히 앉아서 쉬도록 해."
"내 질문에 대답해!"
"하하하…, 따뜻한 차라도 한 잔 어떤가? 몸속까지 따뜻해질 거야. 필요 없는가? 그럼, 네 몫까지 내가 마시도록 하지. 꿀꺽꿀꺽."
박사는 비웃는 듯한 표정으로 말했다.

➡ 왜 이런 곳에 있는지 묻는다. → 247로
➡ 왜 주술을 만들었는지 묻는다. → 222로

197
198
199
200
201
202
203
204

202 ↪ 132

남쪽 창가에는 나무로 된 낡은 해시계가 놓여 있었다. 전체적인 형태는 남아 있지만, 문자판이 완전히 떨어져 여기저기 흩어져 있다.

203 ↪ 53

"**기**사 흉내를 내라니, 저는 할 수 없어요. 갑옷도 없는데…."
"갑옷이라면 있단다. 5년 전에 마물을 쓰러뜨린 용감한 기사 엔데 님의 갑옷이지."

204 ↪ 155

"**반**지의 저주를 정화했어요."
"…카이여…. 대견하게도 여기까지 잘 견뎌 주었구나. 자네에게 초원을 빠져나가는 길을 알려 주도록 하겠네. 이 지도를 가져가게나. 남쪽으로 가서 신의 비밀을 간직하고 있던 마을로 가거라."

【MAP 6을 펼친다.】
【MAP 6의 '멸망한 마을'에 205라고 기입】

카이는 마을의 모습을 보고 경악을 금치 못했다. 마을은 성한 곳 없이 모두 멸망하여 황폐한 산으로 변해 있었다.

➡ 오른쪽 그림을 참고해서 탐색하라.

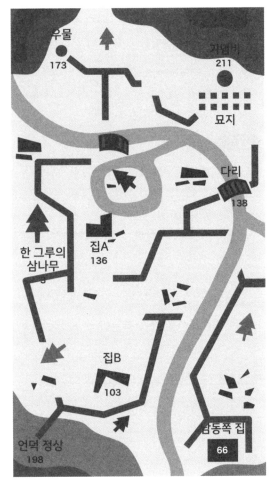

카이는 기둥을 바라보았다. 기둥 가운데쯤에 '0'이라는 숫자가 새겨져 있다.

【소년의 기록란 16a에 '기둥A 0'이라고 기입】

"**프**러포즈에 맞춰서 종을 울리면 되는 거예요?"

"도와주는 거야? 고마워! 그럼, 오후 5시 정각에 종을 울려줘. 종을 울린 다음에는 다시 이 술집으로 돌아오는 거야! 반드시 사례를 할 테니까."

"그래요."

"내 이름은 페텔이야."

"저는 카이예요."

"카이, 잘 부탁해!"

페텔은 카이의 어깨를 두드리고는 술집을 나섰다.

'부탁을 들어주고 말았네. 별일 없겠지? 또 한 번 안식의 탑으로 가야겠군.'

【단서 가에 '페텔의 부탁', 지시 번호 가에 111이라고 기입】

【소년의 기록란 3에 '오후 5시에 안식의 종을 울린다'라고 기입】

208 ↪ 175

카이는 기사로 변장하고 우물로 향했다. 고대하던 기사의 도착에 기쁜 내색을 감추지 못하던 마을 사람들은 금세 카이를 에워싸고는 환영의 노래를 부르고 춤을 추었다. 춤과 노래가 끝나자 마을 사람들은 저마다 기대감과 격려를 카이에게 전하였다.

"기사님, 부디 몸조심 하세요. 2주 전에 부활한 마물은 마법의 물병으로 마을을 메마르게 만들어 버렸어요. 그 물병은 물을 모조리 흡수해 버려요. 그 다음에는 마을이 마물의 손아귀에 들어가고 말겠죠…."

209 ↪ 84

"계약이 성립되었다…."

해골은 오싹한 웃음소리 뒤로 사라져버렸다.

문득 정신이 들자 두목 왼손에 있던 반지가 카이 왼손에 끼워져 있었다.

"…어떤 저주인가요?"

"몸 왼쪽 반신이 물건을 통과하는 저주다. 계약할 때 입고 있던 옷이나 신발은 그대로인 것 같지만…."

카이는 시험 삼아 왼손으로 벽을 만져보았다. 하지만 왼손은 벽을 그대로 통과하여 벽이 만져지지가 않았다. 벽의 반대편으로 왼손이 관통한 것 같았다.

"왼손으로 완전히 감싸면 물건을 잡을 수는 있지."

'이제 저주를 받았으니 감옥 요새에 들어가서 죄수와 이야기를 할 수 있겠어.'

【단서 조에 '저주', 지시 번호 조에 13이라고 기입】

210

카이는 죄수 야코피에게 들은 마을에 도착했다.

쌍둥이 섬의 원주민이 사는 이 변방의 마을은 다른 마을이나 도시와는 전혀 다른 냄새가 났다. 야코피의 아내 미트라의 집은 해안을 따라 난 언덕 위에 서 있다.

➡ **노크한다. →** 147**로**

211 ↱ 205

카이는 기념비에 새겨진 수식을 발견했다.

$$\diagdown \boxed{\text{回}} \diagdown = 4$$

'이 기념비에 올라가서 놀았던 기억이…?'

【**소년의 기록란 24b에 '** $\diagdown \boxed{\text{回}} \diagdown$ **= 4'라고 기입】**

212 ↱ 80

카이는 오두막 문을 열었다.

"아무도…, 안 계신가요…?"

오두막 안은 따뜻하고 생각보다 깔끔하게 정돈되어 있었다.

작은 테이블과 부서질 듯한 의자가 한 쌍, 그리고 책꽂이가 하나 놓여 있을 뿐이었다.

구석에 놓인 난로 위에서는 물이 끓고 있다.

바닥을 수놓은 아름다운 모양이 카이의 시선을 끌었다. 책꽂이 위에는 짐승 장식품 네 개가 놓여 있었다.

안쪽 방에서 천천히 다리를 끌며 노인이 걸어 나왔다.

"아이고, 놀랐구먼. 어떻게 여기까지 왔는가? 자, 여기에 앉도록 하게나. 꽤 지쳐 보이는구나."

노인은 그렇게 말하고는 카이를 의자에 앉히고 차를 내주었다.

"감사합니다. 할아버지. 제가 타고 있던 배가 난파를 당한 것 같아요…. 정신을 차려 보니 저쪽 해변이었습니다."

"저런…, 그것참 힘들었겠구나. 이 섬 주변은 날씨가 꽤 온화한 편인데도 요즘은 계속 풍랑이 일고 있지 뭔가."

"섬…? 여기는 대체 어디쯤인
가요?"

카이는 차를 마셨다. 갑자기 몸
이 따뜻해지는 것 같았다. 의식도
점점 또렷해지고 있었다.

"여기는 동쌍둥이 섬이란다."

"동쌍둥이 섬…. 그렇게 멀리
휩쓸려 왔구나. 혹시 근처에 배가
뜨는 마을이 있을까요?"

"북쪽 짐승의 숲을 빠져나가면 마을이 있기는 하지…."

노인은 미간을 찌푸렸다.

"무슨 일이 있나요?"

"음. 요즘 숲에 사는 짐승들이 갑자기 흉폭해졌어. 인간을 덮치기도 한다네."

"그럼, 숲을 빠져나갈 수는 없나요?"

"아니, 안식의 종을 울리면 짐승들이 조용해질 걸세."

"안식의 종?"

"그렇다네. 여기에 올 때 혹시 탑을 보았는가? 그 탑을 안식의 탑이라 부른다
네. 탑 꼭대기에 걸려 있는 종소리는 혼란스러운 마음을 차분하게 가라앉히는
효과가 있거든. 나도 젊었을 적에 탑에 올라간 적이 있었지."

"이 섬을 벗어나서 고향으로 돌아가고 싶어요. 그러려면 배가 뜨는 마을로 가
야 해요."

"흠. 나는 다리가 불편해서 말이지. 같이 갈 수는 없지만, 이걸 가져가게. 이 주
변 지도일세. 어디 보자, 여기가 지금 있는 오두막이고 여기가 안식의 탑이고…
그리고 여기가…, 뭐였더라. 자꾸 깜빡깜빡해서 말이지."

노인은 카이에게 지도를 건넸다.

"고맙습니다. 할아버지. 저는 카이라고 해요."

"잘 부탁하네, 카이. 언제든 쉬고 싶을 땐 우리 집으로 오게나."

【소년의 기록란 1에 '안식의 종을 울려서 짐승들을 안정시킨다'라고 기입】

☞ 이런 지시가 있는 경우, 어드벤처 시트 뒷면 "소년의 기록"의 해당하는 번호에 내
용을 기입합니다.

210
211
212

【MAP 1을 펼친다.】

【MAP 1의 '해변'에 65, '오두막'에 80, '안식의 탑'에 125, '짐승의 숲'에 95라고 기입】

☞ 이런 지시가 있으면 펼친 지도의 각 장소에 숫자를 기입해 주세요. 소년 쪽의 지시는 녹색 빈칸 안에 기입합니다.

☞ 지금부터는 자유롭게 이동해도 좋습니다. 지도에 기입한 숫자가 그 장소의 단락 번호입니다. 예를 들어 '짐승의 숲'에 가고 싶다면 95번 단락으로 이동합니다. 소녀 쪽에서 기입한 빨간색 칸의 단락에는 소년이 갈 수 없습니다.

◀213▶ ↪ 150

"**샘**의 정령이시여! 나와 주소서!"

카이가 동굴 입구에서 소리치자 하얀 거인이 모습을 드러냈다.

"정령이시여, 이 반지의 저주를 풀어줄 수 없습니까?"

"…보물을 바치거라, 어린 자여…. 그 저주…, 정화해 주리라…. 샘물로 정화해 주리라…."

정령은 그 말을 남기고는 모습을 감추었다. 그와 동시에 카이 왼손에 있던 반지가 빠져 바닥으로 떨어졌다.

'빠…, 빠졌어.'

카이가 저주의 반지를 주워들자 뒷면에 새겨진 각인이 보였다.

'엔데와 힐다…? 엔데는 마물을 쓰러뜨린 뒤에 병으로 죽고 만 기사가 아닌가…, 그럼 이 힐다는 두목의 이름인 건가? 어쩌면 엔데는 이 반지에 저주가 걸린 것을 모르고 두목에게 선물한 게 아니었을까? …산적 아지트로 가서 두목에게 이 각인을 말해줘야겠어.'

【단서 **큐**에 '각인, 정화', 지시 번호 **큐**에 49라고 기입】

◀214▶ ↪ 92

카이는 기둥을 바라보았다. 기둥에는 용감하게 싸우는 기사의 모습이 새겨져 있다.

【소년의 기록란 16f에 '기둥F 기사'라고 기입】

215

마을에서 남쪽으로 조금 떨어진 평야에 천막으로 만들어진 오두막이 있다. 천막에는 꼬마전구가 여기저기에서 빛나고 그 안에서는 바이올린과 클라리넷 소리가 새어 나온다. 악단에서 리허설이라도 하고 있는 것일까?

➡ 극장으로 들어간다. → 54로

➡ 단서 **부**가 있는 경우 → 215 + 지시 번호 **부**

216 ↩ 167

'오아시스의 동굴 안에 있던 샘이잖아!'

서쌍둥이 섬과 동쌍둥이 섬 사이가 해저 동굴로 연결되어 있었다.

➡ 아래 그림을 참고해서 탐색하라.

【지하 1층으로 올라갈 경우에는 단락 표시가 바뀌어 돌아올 수 없으므로 이 단락에 책갈피를 끼워둘 것】

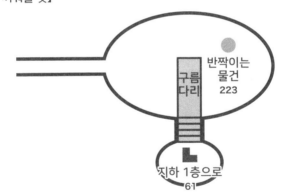

217 ↩ 30

카이는 혼자서 놀고 있는 아이에게 말을 걸었다.

"나는 이다음에 크면 기사가 될 거야! 마물을 물리칠 거거든."

아이는 그렇게 말하고는 기사의 흉내를 내며 팔을 휘둘렀다. 그 모습을 본 노인이 말했다.

"이 아이는 기사 이야기나 옛날 이야기를 좋아한다네…"

"할아버지는 재미있는 이야기를 많이 알고 있어! 요괴 이야기나 요정 이야기도 많이 알고 있다구!"

"**허**어…, 카이구나. 차림새가 꽤나 바뀐 것 같구나…."

"신선님, 저는 신의 기억을 되찾아야만 해요. 어떻게 하면 좋을까요?"

"올바른 길을 찾은 것 같구나. 하지만 저주받은 자는 신성한 땅을 통과할 수 없다. 변방의 마을에 오사라는 예언가가 있단다. 정화에 대해서 물어보도록 하여라. 저주가 정화되면 이곳으로 돌아오도록 하라."

【MAP 1의 '오사의 집'에 35라고 기입】

카이는 흔들다리에서 기사에게 받은 검을 두목에게 건넸다.

두목은 카이의 눈을 응시한 채 검을 받아 들었다. 그리고 그 검을 주의 깊게 살펴보더니 큰 소리로 웃었다.

"하하핫! 이건 감쪽같은 가짜 검이 아닌가! 대체 이런 걸 누구에게 빼앗은 거야. 속임수나 당하다니. 하하핫! 이건 이것대로 너다워서 좋다. 검을 가지고 온 사실은 변함없으니까 말이지."

"그럼…?"

"훗! 합격이다. 그럼 곧장 임무를 시작해 줘야겠어. 지금부터 나와 함께 성당으로 가서 망을 보도록 한다. 따라오도록."

【단서 **아**에 '두목과 동행', 지시 번호 **아**에 44라고 기입】

탑 입구는 소박한 조각이 새겨진 나무문으로 되어 있고, 열쇠는 잠겨 있지 않았다.

지금은 아침이라 밖에서 비춘 빛으로 안이 잘 보이지만, 가스 등불이나 촛대가 없어서 밤이 되면 깜깜해질 것 같았다.

➡ 단서 **십**이 있는 경우 → 220 + 지시 번호 **십**

➡ 아래 그림을 참고해서 탐색하라.

☞ 이런 지시가 있으면 배치도를 참고해서 이동해 주세요. 배치도에 적혀있는 숫자
가 그 장소의 단락 번호입니다. "문"으로 가고 싶으면 102번 단락으로, "마룻바닥
모양의 방"으로 가고 싶으면 23번 단락으로 이동합니다.

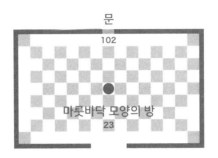

221 ↪ 133

카이의 시체는 요새의 잡일꾼에 의해 정글에 버려졌다. 잡일꾼이 사라지자 카
이는 가면을 벗고 일어섰다.

'교황의 일기에 적혀있듯이 기억을 지우는 주술로 인해서 신의 기억이 지워진
것이 섬을 변화시킨 원인이라고 한다면 풍랑을 잠재우기 위해서는 신의 기억을
되찾는 수밖에 없겠어. 아무튼 산 정상에 있는 사당에 가서 신선에게 이 이야기
를 전해야 해…. 아 참, 그렇지.'

카이는 마물이 준 작은 상자를 꺼내서 열어 보았다. 상자 안에는 '궁전 뒤'라는
태그가 달린 철제 열쇠가 들어 있었다.

'마물의 궁전 뒤의 열쇠? 이게 뭐지? 그나저나 이제 요새로 들어갈 일도 없을
테고 이 저주의 반지도 필요 없겠어….'

【단서 코에 '일기, 반지, 열쇠', 지시 번호 코에 63이라고 기입】

222 ↪ 201

"왜, 그런 주술을 만든 거야?"

"나는 말이지 아무런 추억이 없어. 사람과 이야기를 하거나 여행을 해도 아
무것도 기억에 남지 않아. 무엇 때문일까? 하지만 이대로는 너무 서글프잖아.

그래서 다른 사람에게서 추억을 빼앗으려고 마음먹었지. 그러다 문득 발견한 너희들을 상대로 실험을 한 거야. 기억을 빼앗은 너와 함께 배를 타고 새로운 곳으로 가서 연구를 계속하려던 참이었다."

➡ '너희들'에 대해서 물어본다. → 176으로

223 ↱ 216

카이는 구름다리 건너편 바닥에서 무언가 반짝이는 것을 발견했다. 샘 바닥을 건너서 가까이 다가가자 작은 목걸이가 있었다. 카이는 목걸이를 들어 올렸다. 사람의 형태를 본뜬 것처럼 보인다. 목걸이 뒤쪽을 본 카이는 눈을 의심했다. 거기에는 '카이'라는 이름이 적혀 있었다.

카이가 그 목걸이를 유심히 보자 어딘가 익숙한 듯한 신비로운 느낌에 휩싸였다.

➡ 되살아나는 기억 → 37로

224 ↱ 172

카이는 두목을 위로했다.
"동정은 필요 없어. 돌아가도록 해."

225 ↱ 138

카이는 다리를 건너 그곳에서 북쪽으로 10걸음 걸었다. 그러자 발밑에 놓인 자갈 아래로 오래된 지하수로의 입구가 보였다.

➡ 단서 **%**가 없는 경우 → 119로
➡ 단서 **%**가 있는 경우 → 225 + 지시 번호 **%**

226 ↱ 135

얼마간의 시간이 흐르고 학자처럼 보이는 남자가 문을 열었다.
"무슨 볼일이라도 있는가?"
남자는 온화한 표정으로 반겨 주었다. 어쩐지 기분이 좋아 보였다. 이야기를 들어줄 것 같았다.

"사막에 있는 동굴에 대해서 말씀해주실 수 있나요?"

"아아, 오아시스의 동굴 말이지? 지도를 가지고 있나?"

카이가 지도를 건네자 남자는 동굴이 있는 자세한 장소를 안내해 주었다.

"기사는 길을 나설 때 성배로 정화한 특수한 성분의 물을 받아서 가는데, 신기하게도 오아시스의 동굴에 있는 심층수가 완전히 똑같은 성분이라지. 게다가 샘의 정령이 있다는 소문도 있더군. 혹시 동굴에 갈 생각인 긴가?"

"네. 가 볼 생각이에요."

"위험하니까 안 가는 게 좋겠지만 말이야. 만약 간다면 이걸 가지고 가도록 해."

남자는 카이에게 물을 담을 수 있는 물통을 건넸다.

【MAP 2의 '오아시스의 동굴'에 150이라고 기입】

【소년의 기록란 7에 '오아시스의 동굴에 생명수가 있다'라고 기입】

223
224
225
226
227

227 ↪ 199

카이는 골렘의 말을 점점 이해할 수 있게 되었다. 어딘가 순해 보이는 이 흙인형도 마물에게 붙잡혀 궁전 지하에 갇힌 모양이었다.

"나에게 맡겨봐. 반드시 밖으로 탈출시켜 줄 테니까."

카이가 그렇게 말하자 흙인형은 카이를 커다란 손으로 살포시 움켜쥐고는 계단 위로 올려 주었다. 천장 뚜껑을 조금 열고 그 틈으로 들여다보니 마물이 앉아 있는 의자가 바로 옆으로 보였다. 마물은 손에 신성한 도끼를 들고 있었다. 카이는 천장을 열어젖히고 힘차게 뛰어 올랐다. 마물은 빈틈을 공격당한 탓에 잠시 넋이 나간 듯싶었지만 금세 도끼를 고쳐 쥐고 자세를 잡았다.

"으악! 너, 그 팔찌 어디에서 났어?"

"놀랐나? 이건 엔데에게 받은 팔찌다."

"…후후후. 그 팔찌를 보여주면 내가 항복이라도 할 줄 알았는가? 검도 방패도 없는 주제에 어떻게 싸울 셈이냐!"

마물은 크게 비웃더니 원탁 위에 놓인 술을 입에 머금고 도끼에 뿌린 뒤 카이를 향해 달려들었다.

➡ 싸운다. → 34로

➡ 단서 ⊞가 있는 경우 → 227 + 지시 번호 ⊞

228 ↩ 92

카이는 기둥을 바라보았다. 기둥에는 무서운 모습으로 인간을 습격하는 악마가 새겨져 있다.

【소년의 기록란 16e에 '기둥E 악마'라고 기입】

229 ↩ 130

카이는 지금까지의 경위를 설명하고 어떻게든 섬을 빠져나갈 방법이 없는지 촌장에게 상담했다.

"이런 풍랑에 배를 띄우기란 쉬운 일이 아닐 걸세. 이 마을에는 원래부터 가까운 바다에서 물고기를 잡기 위한 작은 배만 있고 말이야. 북쪽 어촌이나 서쪽 마을로 가거나…, 아니, 그나저나 북쪽 어촌으로 통하는 검문소는 요전에 봉쇄되고 말았다네. 나에게는 아무런 연락도 없이 갑자기 말일세."

230 ↩ 9

"**당**신의 정체는 뭐야…?"

"나는 대체…, 누구일까? 내 이름은…, 뭘까? 나와 너는…, 서로 아는 사이지."

박사와의 대화에서는 아무것도 얻지 못한 채 어쩔 수 없이 그 자리를 뜰 수밖에 없었다.

231 ↩ 225

카이는 오래된 지하수로의 뚜껑을 열고 좁은 지하도를 지났다. 막다른 곳에서 계단을 올라가 천장을 열자, 마을 한가운데로 이어졌다. 그곳에서 소녀가 기다리고 있었다.

【단서 @에 '만남', 지시 번호 @에 28이라고 기입】

➡ 땅 위로 올라간다. → 42로

232 ↩ 215

악단의 소리가 멎고 드디어 쇼가 시작되려는 모양이었다.

카이는 천막 안으로 들어가 앞줄에 자리 잡고 앉았다.

천막 안은 많은 사람으로 붐비고 있다.

먹구름 가득한 답답한 하늘은 벌써 2주 동안이나 지속되고 있고, 바람은 날이 갈수록 점점 기세가 강해지고 있었다. 너나 할 것 없이 섬의 변화를 불안하게 여기고 울적한 나날을 보내고 있었다. 섬사람들은 한때나마 평안을 위해 오늘 밤 열린 쇼를 보러 이곳을 찾은 것이었다.

카이가 자리에 앉은 뒤 얼마간의 시간이 흐르자 조명이 어두워지더니 악단이 흥겨운 음악을 연주했다. 막이 열리자 아름다운 무희가 뛰쳐나와 형형색색의 조명 아래에서 화려한 춤을 선보였다.

카이는 멍하니 그 모습을 지켜보고 있다가 문득 그중 한 명의 무희에게서 시선을 뗄 수 없었다. 얇은 베일을 쓰고 있는 탓에 얼굴은 자세히 보이지 않지만, 왠지 모르게 그 소녀를 보고 있자니 카이는 아련한 기억이 되살아나는 듯한 신비로운 느낌이 드는 것이었다.

이윽고 쇼는 관객들의 함성과 박수갈채를 뒤로하고 막을 내렸다.

➡ 분장실에 가본다. → 143으로

228
229
230
231
232
233

233 ↩ 192

"자, 잠시만요! 저를 동료로 받아주실 수 없나요?"

"…돈이 없다면 죽어줘야겠다!"

산적은 검을 휘둘렀다.

"기다려!"

힘 있는 목소리가 들리더니 케이프로 얼굴을 반쯤 가린 자그마한 체구의 남자가 나타났다. 산적들은 남자를 맞이하듯 말을 몰아 나란히 줄을 섰다. 어쩐지 이 남자가 산적의 두목인 것처럼 보였다.

"너희들! 이렇게 어린 꼬마를 위협하다니…, 산적의 명예를 실추시켰다!"

"하…, 하지만…."

"변명은 듣고 싶지 않다! …너, 동료가 되고 싶다고 했는가?"

"네. 산적이 되고 싶습니다."

두목은 날카로운 눈빛으로 카이를 노려보았다.

"…후후후. 재미있군. 이 녀석을 데리고 와!"

두목은 그렇게 말하고는 말머리를 돌려 산속으로 사라졌다.

【MAP 4의 '산적의 아지트'에 140이라고 기입】

234 ↩ 91

고요한 탑 안에는 계단을 오르는 카이의 발소리만이 울려 퍼졌다. 카이는 안식의 탑 2층으로 올라갔다. 오른쪽에 있는 북쪽 창의 창문 너머로는 짐승의 숲이 보이고 반대편 구석으로는 3층으로 이어지는 계단이 있다.

➡ 아래 그림을 참고해서 탐색하라.

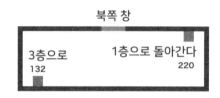

북쪽 창

| 3층으로 | 1층으로 돌아간다 |
| 132 | 220 |

235 ↩ 168

카이는 단검을 뽑아 들고 교황에게 칼날을 겨누었다. 검술을 배운 적은 없지만, 죽을힘을 다해 교황에 맞섰다.

두목은 왼쪽 어깨에 부상을 입고도 꿋꿋이 반격을 퍼부었다.

실력 좋다는 기사단 총장이라도 두 명을 한 번에 상대하기란 불리해 보였다.

"…오늘은 이쯤에서 봐주도록 하지. 어차피 네 녀석들이 오브를 발견할 수는 없을 테니까 말이지."

교황은 검을 칼집에 넣고는 계단을 올라갔다.

두목은 가쁜 숨을 내쉬고 있다. 왼쪽 어깨에 부상을 입은 듯 보였지만 피는 한 방울도 흘리지 않았다. 카이의 착각인 걸까.

호흡이 안정되자 두 사람은 서둘러 비밀 계단을 내려갔다.

➡ 납골당의 비밀 통로에서 교황의 방으로 간다. → 43으로

'**어**디 보자, 오후 5시 정각에 종을 울리는 거였지…. 아, 큰일이네.'

시계가 없다. 마을 술집에서 나올 때는 오후 4시가 되기 직전이었다. 해가 눈에 띄게 저물어 있어 이제 시간이 얼마 남지 않은 듯싶었다. 카이는 3층으로 올라가 망가진 해시계를 손에 들었다.

'무슨 수를 써서든 이걸 수리하지 않으면 5시 정각에 종을 울리지 못할 거야. 그나저나 어떻게 읽는 거지?'

카이는 흩어져 있는 문자판을 모아서 해시계를 맞추기로 했다.

➡ 수수께끼를 풀어서 나타나는 숫자에 해당하는 단락으로

아래의 숫자를 빈칸에 넣어라.

숫자는 왼쪽에서 오른쪽으로, 또는 위에서 아래로 읽는다.

755는 세로로만 넣을 수 있다.

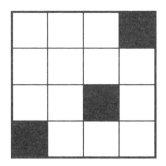

57
75
515
577
595
↓755
7175
9157

234
235
236

 237 ↩ 68

엘리베이터가 열리자 카이의 눈앞에 감옥방들이 늘어서 있었다. 교도관은 면회는 10분간만 허용된다는 말을 전했다.

"섬의 변화를 조사하다 붙잡힌 남자는?"

교도관은 오른쪽 끝에 있는 감옥방을 가리켰다. 그 감옥방에는 야윈 남자가 누워 있었다. 호흡은 거칠고 안색은 창백하다.

➡ **죄수와 이야기한다.** → 77로

238 ↩ 132

카이는 거울로 다가가 살며시 만져 보았다. 차가운 감촉이 손가락 끝으로 전해졌다.

특이할 것 없는 평범한 거울이었다.

239 ↩ 53

"기사의 갑옷이 있습니까?"

"오오! 내 부탁을 들어주는 것인가! 물론 갑옷이 있다마다. 5년 전 마물이 나타났을 때, 용감하게 싸워준 기사 엔데 님의 갑옷이지. 다만⋯."

"다만?"

"갑옷이 들어있는 갑옷 상자에 마법이 걸려 있다네. 도무지 상자를 열 수가 없어. 거울이 별을 연결할 때 마법이 풀린다는 이야기는 전해지고 있다만⋯."

수장은 안쪽 창고로 카이를 안내하고는 갑옷 상자를 보여 주었다. 갑옷 상자 옆쪽에는 의문의 기호가 새겨져 있다. (왼쪽 그림 참고)

➡ **수수께끼를 풀어서 나타나는 숫자에 해당하는 단락으로**

240 ↪ 185

"**조**금만 있으면 돼. 자, 이걸 너에게 줄게, 초콜릿이야…."

카이는 초콜릿을 내밀었다. 괴물은 조심조심 카이에게 다가가 초콜릿을 받아 들고는 희미하게 웃었다.

"부탁이야. 기억을 조금만 나눠줄 수 없을까? 어릴 적 기억을 떠올릴 수 있는 장소가 있을 거야."

"…비밀의 장소에서 기다릴게…."

괴물이 뱉은 그 말을 듣자 카이는 현기증을 느끼며 쓰러지고 말았다.

➡ **되살아나는 기억 → 46으로**

241 ↪ 227

카이는 도끼를 피하고는 무의식중에 가방 안에 든 물건을 마물에게 집어던졌다.

손에 잡히는 대로 두 개를 던졌지만, 마물은 아무런 일도 없었다는 듯 쉽게 피하더니 또다시 도끼를 휘둘렀다. 이대로 끝나는 것인가? 몸의 균형을 잃어 더는 피할 수 없게 된 카이 머리 위로 도끼날이 내리꽂혔다──고 생각했다. 카이는 꼭 감은 눈을 천천히 떠보았다. 그러자 카이 앞에 드르렁드르렁 코를 골며 마물이 쓰러져 있었다. 조심스레 다가가 보았지만, 완전히 잠든 모양이었다.

'사…, 살았다….'

카이는 다리에 힘이 풀려 그 자리에 털썩 주저앉고 말았다. 가쁜 호흡을 가다듬고는 마물이 떨어뜨린 도끼를 주워들고 지하에 갇힌 골렘을 데리고는 궁전을 빠져 나왔다.

"…그러고 보니 정신없이 뭔가를 던지긴 했는데, 뭐였을까? 뭐 어차피 쓸모도 없는 피켈 같은 거였겠지. 어쨌든 신성한 도끼를 되찾았으니 수장님에게 돌려주면 분명 다리를 고쳐 줄 거야. 너는 어촌에서 살 수 있도록 수장님께 부탁해 볼게."

카이를 어깨에 올려둔 골렘은 기쁜 듯이 초원에서 서쪽을 향해 걸었다.

【단서 **무**에 '신성한 도끼', 지시 번호 **무**에 36이라고 기입】

237
238
239
240
241

카이는 책상 위에 놓인 일기를 펼쳤다.

> 숫자를 표시하는 기호를 만들었다. 0은 '·'이라고 해두자.
>
> 1~9는 선을 조합해서 만들었다.
>
> 더하기, 빼기, 곱하기, 나누기 기호도 만들었다.
>
> ♩ ❖ ▣ ◇
>
> 각 기호의 순서는 제각각이지만 이 네 종류다.
>
> 나중에 잊어버리기라도 하면 큰일이니까 수식 옆에 그 정답을 일반적인 숫자로
> 적어 두었다. 예를 들면 아래 수식은 6이다.
>
> ╱ ♩ ◸ = 6
>
> 지금부터 🖌 와 함께 마을 곳곳에 수식을 남기러 간다.

【소년의 기록란 24g에 '0은 ·, 더하기/빼기/곱하기/나누기는 ♩ ❖ ▣ ◇',

24h에 '╱ ♩ ◸ = 6'이라고 기입】

카이는 움직임이 둔한 골렘을 피해
서 문을 열고 옆방으로 도망쳤다. 방에
는 침대와 책꽂이가 놓여 있다. 이곳은
마물의 침실인 듯했다.

➡ **오른쪽 그림을 참고해서 탐색하라.**

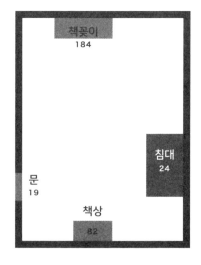

244 ↪ 195

카이는 수녀에게 말을 걸었다. 친절한 수녀는 마을을 처음 방문한 카이에게 교역장과 촌장의 집 등 주변을 안내해 주었다.

"…그리고 서쪽 사막에 있는 오아시스에 지하 깊이 통하는 동굴이 있어요. 가장 깊은 곳은 풍부한 물이 샘솟는다고 알려져 있죠. 자세한 장소는 알 수 없지만…, 이 마을에서 북서쪽으로 가면 지질학을 연구하는 분이 있어요. 그분이라면 사막에 대한 것은 어떤 이야기든 알고 있을지도 모르겠네요."

"지질을 연구하는 학자라구요?"

"네. 지층이나 희귀한 돌에 관심이 많은 것 같았어요. 하지만…, 약간 예민한 분이라 기분이 내키지 않으면 상대해 주지 않을지도 모르겠어요."

【MAP 2의 '지질학자의 집'에 135라고 기입】

245 ↪ 200

카이는 마을 소녀들이 하는 대화를 듣고 있었다.

"성당에서 약을 받지 못하게 되었다고 들었어요…."

"예전에는 기도를 하러 가면 약을 받을 수 있었는데 말이죠. 지금은 예배를 하러 가는 데도 많은 돈을 내고 허가증을 사야만 하니까요! 그래서 가난한 사람들은 약을 구하지 못해서 다들 난처해하고 있어요…."

246 ↪ 92

카이는 기둥을 바라보았다. 기둥에는 사람들에게 설교를 전파하는 교황의 모습이 새겨져 있다.

【소년의 기록란 16d에 '기둥D 교황'이라고 기입】

247 ↪ 201

"이 유배섬은 더 이상 쓰이지 않는다고 들었다. 왜 이런 곳에 있는 거지?"

"…너를 다른 나라로 납치하고 난 직후에 나는 눈치채고 말았지. 나는 위험 인물이야. 그래서 쌍둥이 섬으로 돌아와서 나 자신을 이 섬에 가둔 거다. 너를 그냥 두고 온 것이 잘못이었던 걸까?"

242
243
244
245
246
247

248 ↪ 164

카이는 세 개의 보석을 오목한 곳에 끼워 넣었다.

'이게 그 조건에 맞는 조합인 것 같은데.'

【단서 **나**에 '제단의 보석', 지시 번호 **나**에 61이라고 기입】

➡ 지하 1층의 지도로 돌아간다. → 61로

249 ↪ 220

'이 장식품을 네 구석에 놓으면 되는 건가?'

카이는 짐승 장식품을 방 안 네 구석에 배치했다. 네 개의 장식품을 차례로 놓은 순간, 석대 위 상자 안에서 금속 소리가 들렸다. 뚜껑은 손쉽게 열렸으며 상자 안에는 신기한 모양의 열쇠가 들어 있었다.

카이는 열쇠를 쥐고 고개를 기울여 보았다. (아래 그림 참고)

➡ 수수께끼를 풀어서 나타나는 숫자에 해당하는 단락으로

➡ 아래 그림을 참고해서 탐색하라.

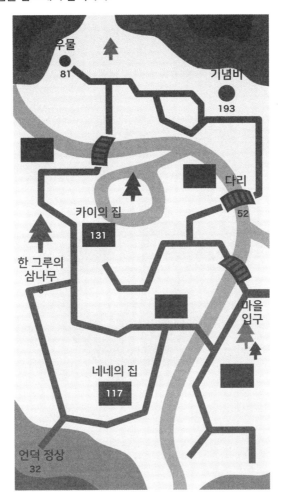

SCRAP

2008년 실립. 아파트 일부와 폐교, 폐병원 그리고 도쿄 돔과 롯폰기 힐즈 등, 다양한 장소에서 개최되는 '리얼탈출게임'을 중심으로 인터넷 기반의 'REGAME', TV 프로그램 '리얼 탈출게임 TV' 등을 통해서도 주목을 모으고 있는 다양한 수수께끼를 제작하는 프로 집단이다. 리얼탈출게임을 처음 선보인 세계 최초, 세계 최대의 방탈출 이벤트 업체로서, 기업 콜라보레이션도 다수 시행하며 항상 새로운 엔터테인먼트를 창조하고 있다.

리얼탈출게임

참가자가 공간에 갇혀 이곳저곳에 숨겨진 수수께끼와 암호를 해석하며 제한된 시간 내에 '탈출'을 시도하는 체험형 게임 이벤트. 자신이 이야기 속의 주인공이 될 수 있는 쾌감, 수수께끼와 로직을 풀어내는 지적 흥분, 관문을 통과하는 스릴 등의 매력으로 인해 폭넓은 층에서 인기를 모으고 있다. 국내에서는 '방탈출 카페'라는 이름으로 2015년경 도입되어 인기를 끌고 있으나, 일본에서는 이미 2007년부터 수많은 방탈출 이벤트가 개최되어 많은 팬들을 확보하고 있다.

FUTAGO JIMA KARA NO DASSHUTSU

Copyright ©2013 SCRAP and Koji Shikano
Originally published in Japan in 2013 by RITTORSHA/RITTO MUSIC, INC., Tokyo
Korean translation rights arranged with RITTOR MUSIC, INC.
through Shinwon Agency Co., Seoul
Korean translation rights ©2019 by iCox

쌍둥이섬에서 탈출
① 소년의 책

초판 1쇄 발행   2019년 7월 20일
초판 3쇄 발행   2024년 1월 10일

지은이   SCRAP & Koji Shikano
옮긴이   김홍기
펴낸이   한준희
펴낸곳   (주)아이콕스
디자인   이지선
영업지원   김효선, 이정민
영업   김남권, 조용훈, 문성빈

주소   경기도 부천시 조마루로385번길 122 삼보테크노타워 2002호
홈페이지   www.icoxpublish.com
쇼핑몰   www.baek2.kr (백두도서쇼핑몰)
이메일   icoxpub@naver.com
전화   032-674-5685   **팩스**   032-676-5685
등록   2015년 7월 9일 제386-2510020015000034호
ISBN   979-11-6426-074-4
             919-11-6426-073-7 (세트)

※ 정가는 뒤표지에 있습니다.

※ 잘못된 책은 구입하신 서점에서 교환해드립니다.